현재 판매중인
에이든 **여행지도 시리즈**

국내여행 가이드북, 제주여행 가이드북, 인스타 핫플 가이드북, 아이와 가볼만한 곳 1193, 전국여행지도, 한국관광100선 스크래치맵, 캠핑지도, 우리나라 역사지도, 키즈(세이펜) 세계지도/우리나라지도, 서울, 제주, 부산, 파리 ,런던, 로마, 오사카 지도 등 지속 출시 중. 네이버에서 "에이든여행지도"로 검색하세요.

에이든 여행지도 및 미니맵북의 저작권은 (주)타블라라사에 있습니다.
본사의 서면동의 없이는 어떠한 형태로도 복사하거나 이용 하지 못합니다.

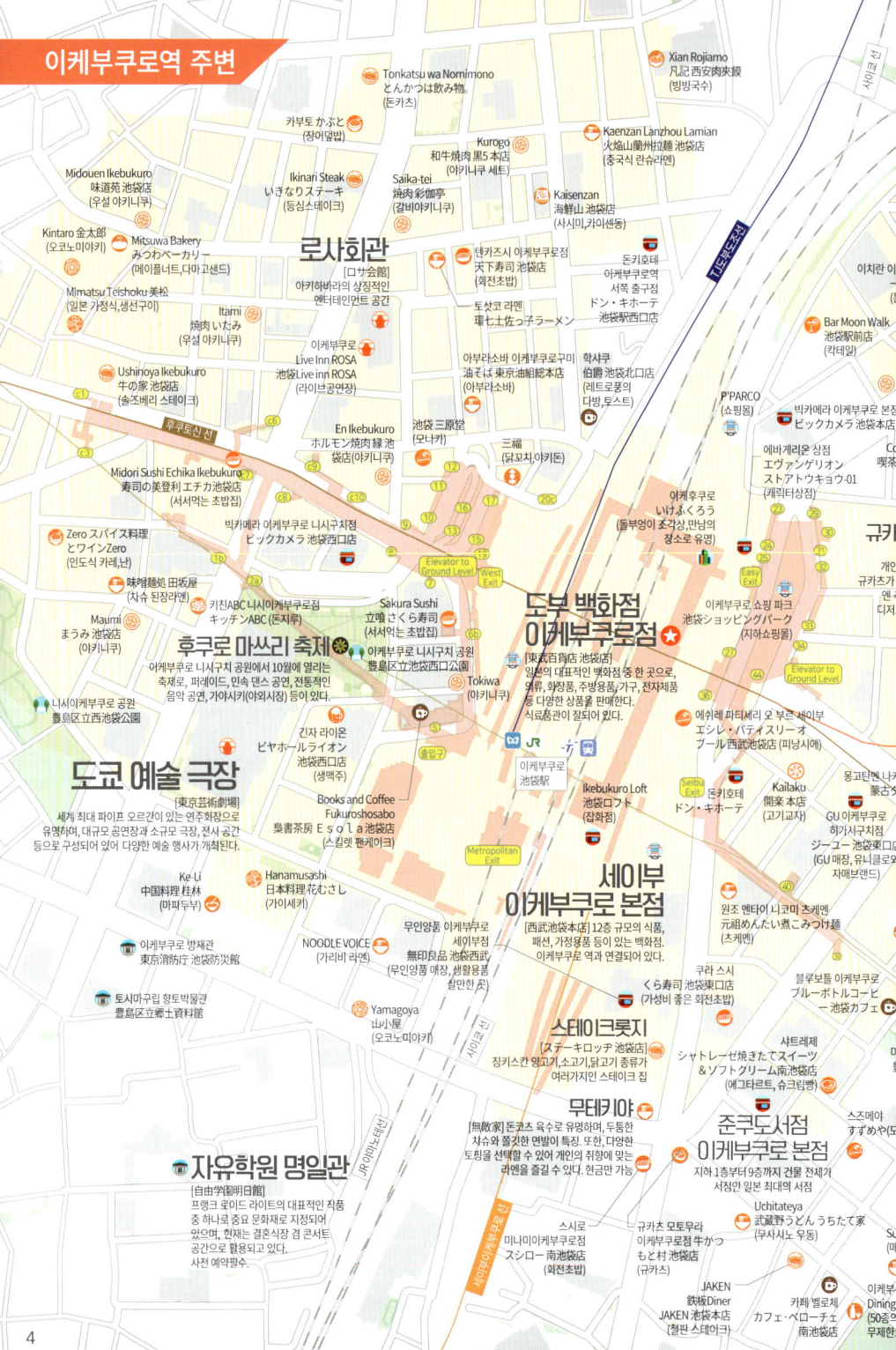

aiden 2026\2027
PLACE Tokyo

개정1판
에이든
도쿄 여행지도

타블라라사

개정 1판 1쇄 인쇄 | 2025년 11월 15일
개정 1판 1쇄 발행 | 2025년 11월 15일

지은이 | 이정기, 타블라라사 편집팀
펴낸곳 | (주)타블라라사
컨텐츠 담당 | 홍경진, 김수경, 엄연희, 문아현, 고민지, 최현아, 이경미, 변계숙, 윤강희, 김지영, 김아름
편집디자인 | 홍경진
표지디자인 | KUSH

출판등록 | 2016년 8월 10일(제 2019-000011호)
이메일 | quiz94@naver.com
홈페이지 | http://aidenmapstore.com

Copyright 2025 Tabularasa, inc.
이 책의 저작권은 저자와 출판사에 있습니다.
서면에 의한 저자와 출판사의 허락없이 책의 전부 또는 일부 내용을 사용할 수 없습니다.
일부 사진을 제공해주신 한국관광공사 tourapi, 인스타그램 제공자(사진에 출처표시)님 들께 감사 드립니다.

*값과 ISBN은 뒤표지에 있습니다.
*잘못된 책은 구입한 서점에서 바꾸어 드립니다.
*본 도서에 대한 문의사항은 이메일을 통해 받고 있습니다.

센소지

센소지 가미나리몬

센소지 관광 Tip

1. 올해의 운 점치기 100엔
돈을 넣고 통을 흔들어서 막대기를 뽑는다.
막대기의 숫자를 확인하고 통에서 종이를 꺼낸다.
(파파고로 사진 찍으면 통번역 할 수 있다.)
내용이 흉이면 행가에 액운을 묶어 두고 간다.
2. 연기 마시기 (나쁜 기운을 몰아내고 장수를 빈다고 한다.)
3. 일몰 후에는 라이트업으로 낮과는 또 다른 센소지를 관람할 수 있다.
*나카미세도리는 대부분 5시면 영업을 종료합니다.

하나야시키
[浅草花やしき]
일본에서 가장 오래된 롤러코스터가 있는 유원지. 롤러코스터 외 바이킹, 회전목마 등 다양한 어트랙션 보유

와시 신사 (오토리시사)
[鷲神社]
'오토리 신사'라는 이름으로 알려져 있는 신사

카페 바흐
カフェ バッハ

유돈부리 사카에유
湯どんぶり 栄家
(야외온천탕이 있는 목욕탕)

요시와라 신사
吉原神社

무코지마 백화원
向島百花園

아사쿠사 모스크
浅草モスク

스미다가와 불꽃놀이
[隅田川花火大会]
도쿄 불꽃놀이 중 가장 큰 규모의 불꽃놀이. 전통 불꽃놀이는 물론 새로운 불꽃놀이 경연대회도 진행함

센소지
[浅草寺]
도쿄에서 가장 오래된 사원 중 하나로, 자비의 여신인 관음을 기리기 위해 건립되었다. 근처 다양한 전통적인 상점과 그리고, 정문 앞 도로에는 인력거꾼들이 많이 있어 인력거 탑승 체험도 가능하다.

야사쿠사 신사
[浅草神社]
센소지를 건립한 3명의 인물을 모신 신사. 매년 5월 중순, 3대 축제의 하나인 산자마쓰리가 유명

타이토 리버사이드스포츠센터
台東リバーサイドスポーツセンター

도쿄 스카이트리
[東京スカイツリー]
전파 송출용 탑이자 세계에서 가장 높은 구조물 3위를 차지한 전망대. 두 종류의 티켓을 판매하여 건물의 높이에 따라 450m와 350m까지 갈 수 있다. 쇼핑몰, 레스토랑, 카페 등 다양한 즐길 거리가 있다.

다이토구립 스미다 공원
台東区立 隅田公園

히키후네

스카이트리

아사쿠사문화관광센터
[浅草文化観光センター]
아사쿠사의 아름다운 천경을 감상할 수 있는, 스카이트리 또한 한눈에 볼 수 있는 무료 전망대. 8층에 위치

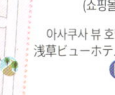

아사쿠사 뷰 호텔
浅草ビューホテル

오렌지 거리
[Orange Street]
오렌지색 거리로 산리오 매장 등이 있는 상점거리

센소지 호조몬
宝蔵門

Asakusa Kimono Rental Aiwafuku
(기모노 대여점)

스미다 수족관
[すみだ水族館]
펭귄, 상어, 가오리 등의 다양한 해양생물을 볼 수 있는 대형 수족관으로 30여마리의 펭귄과 볼 수 있으며 해파리 수족관이 유명

타카기 신사
[高木神社] 도쿄 스미다구 오시아게에 위치한 신사

FU WA RI
(주방용품)

다이토 스테이션 아사쿠사점(오락실)

오시아게
(스카이트리)

기모노·포토 스튜디오
아사쿠사 기모노 렌탈
Sakura Photo Studio
(기모노 대여)

도쿄 미즈마치
TOKYO mizumachi
(쇼핑몰)

도부스카이트리라인

도쿄 스카이트리

도쿄 소라마치
[東京ソラマチ]포켓몬 센터, 해리 포터 스토어 등 인기 있는 쇼핑몰, 레스토랑, 영화관, 게임센터 등이 있다. 다양한 브랜드의 매장과 맛집이 있으며, 스카이트리 타워와 스미다 수족관도 위치해 있어 즐길 거리가 풍부하다.

점프 샵 도쿄 스카이트리 타운 소라마치점
(캐릭터샵)

커비 카페 카비카페 TOKYO
(캐릭터 커비로 가득한 곳)

센소지 가미나리몬
[雷門] 3.9m 길이의 붉은 등불이 상징인 쿠사 대표 정문으로 일본 옛 감성을 느끼고 쿠사 가미 대여샵이 있어 기모노를 입고 둘러보는 이색 경험이 가능하며, 도쿄 트리 조망이 가능하다. 인력거 체험 가능

아사히맥주빌딩
[アサヒグループ本社 スーパードライホール]
아사히 맥주 본사 빌딩으로 맨 위층에서 맥주를 마시며 도쿄 전망 감상하는 것을 추천

아사쿠사 도쿄 수상버스
[TOKYO CRUISE 浅草・お台場直通ライン]
아사쿠사–오다이바까지 이동하는 수상 버스. 약 1시간 정도 탑승하며 레인보우 브릿지, 쓰키지 등 도쿄 관광 명소 관람 가능

혼조 아즈마바시

다이코쿠유
押上温泉 大黒湯
(실내탕, 노천탕)

구라마에

아사쿠사 규카츠
[浅草牛かつ]
규카츠로 유명한 가게. 단일메뉴이며 한입 먹으면 사르르 없어지는 맛이라고 표현될 정도로 맛집으로 유명하다. 내부에 있는 모든 팀이 다 먹고 나가야 다음 팀이 한번에 들어가는 시스템으로 웨이팅이 길다. 영업시간은 11시~23시 이다.

와카미야 공원
墨田区立若宮公園

Mikokuyu 御谷湯
(도쿄스카이 트리가 보이는 온천)

인력거 관광 체험
[人力車観光体験]
일본의 옛 택시라 불리는 인력거를 타고 아사쿠사 거리를 관광하는 체험

스카이트리&아사히 맥주 빌딩

우에노 공원 지도

JR Uguisudani 우구이스다니 鶯谷駅

도쿄 국립 박물관
본관, 평성관, 동양관, 호류지 보물관, 구로다 기념관, 표경관 6개의 전시실이 있다. 360도로 펼쳐진 극토 89점과 중요문화재를 포함하여 총 12만점 이상의 소장품이 전시되어 있다. 특별전도 개최되며 입장료는 1000엔

국립 과학 박물관
지구의 생성, 공룡의 역사, 동물 박제 등 전시를 볼 수 있고, 360도로 펼쳐진 스크린과 천장에 전시된 고래 뼈 화석이 유명한 박물관이다.

Theater 360 (기술 박물관)

응가관 (박물관)

평성관
일본 고대 유물이 있다. 전시되어 있다. 또한, 한국의 고대 유물과 문화를 소개한다.

도쿄 국립박물관 호류지 보물관 東京国立博物館 法隆寺宝物館

Tokyo National Museum Shop (기념품 상점)

표경관

가이바 카피
100년이 넘은 전통 일본식 건물로 2층 다다미석이 인기가 있는 커피숍이고 샌드위치, 시그니처 디저트 음료인 라쿠사쿠 베스트 메뉴이다.

도쿄예술대학 미술관 우에노관

Ueshima Coffee (흑당밀크커피)

도쿄 국치 어린이 도서관

Restaurant Muse (일본식 사양 음식점)

도쿄도 미술관
다양한 연령대를 아우르는 전시를 지향하는 일본 최초의 공립 미술관

우에노 공원

스타벅스 우에노공원

Little Trunk (기념품 상점)

매표소

우에노 동물원

Saruyama Kitchen (푸드코트)

Bird Song (푸드코트)

NC (Natural Curry) Restaurant

우에노 공원 벚꽃축제
우에노 벚꽃축제는 매년 3월 말부터 4월 초까지 도쿄 우에노 공원에서 열리는 축제로 약 1,200여 그루의 벚꽃나무가 만발하여 아름다운 벚꽃 풍경을 자랑한다. 야경 조명, 노점상, 음악 공연 등등을 즐길 수 있으며, 특히 야경 조명은 매우 인기가 많다.

우에노 공원 벚꽃축제의 주요 관람 포인트
- 사쿠라도리: 공원의 중앙을 지나는 길로, 양옆으로 벚꽃나무가 가득 심어져 있다.
- 시노바즈이케: 우에노 공원에 있는 연못으로, 연못 주변에는 벚꽃나무가 많아 풍경이 아름답다.
- 언덕: 우에노 공원에는 언덕이 여러 곳 있어, 언덕 위에서 벚꽃나무를 내려다보는 풍경을 추천한다.

우에노 공원
도쿄에서 가장 오래된 공원 중 하나로, 국립서양미술관과 여러 전시로 로맨틱한 풍경을 바라보는 자연환경과 작가들의 작품을 감상할 수 있다. 또한, 일본의 첫 동물원인 우에노 동물원에는 판다 등 다양한 동물들을 관람할 수 있다. 봄, 여름 계절축제가 열린다.

우에노 동물원
판다, 북극곰 등 약 400여종의 동물이 있는 동물원. 오후에는 대부분의 동물들이 사육장 안으로 들어가서, 오전 방문 추천

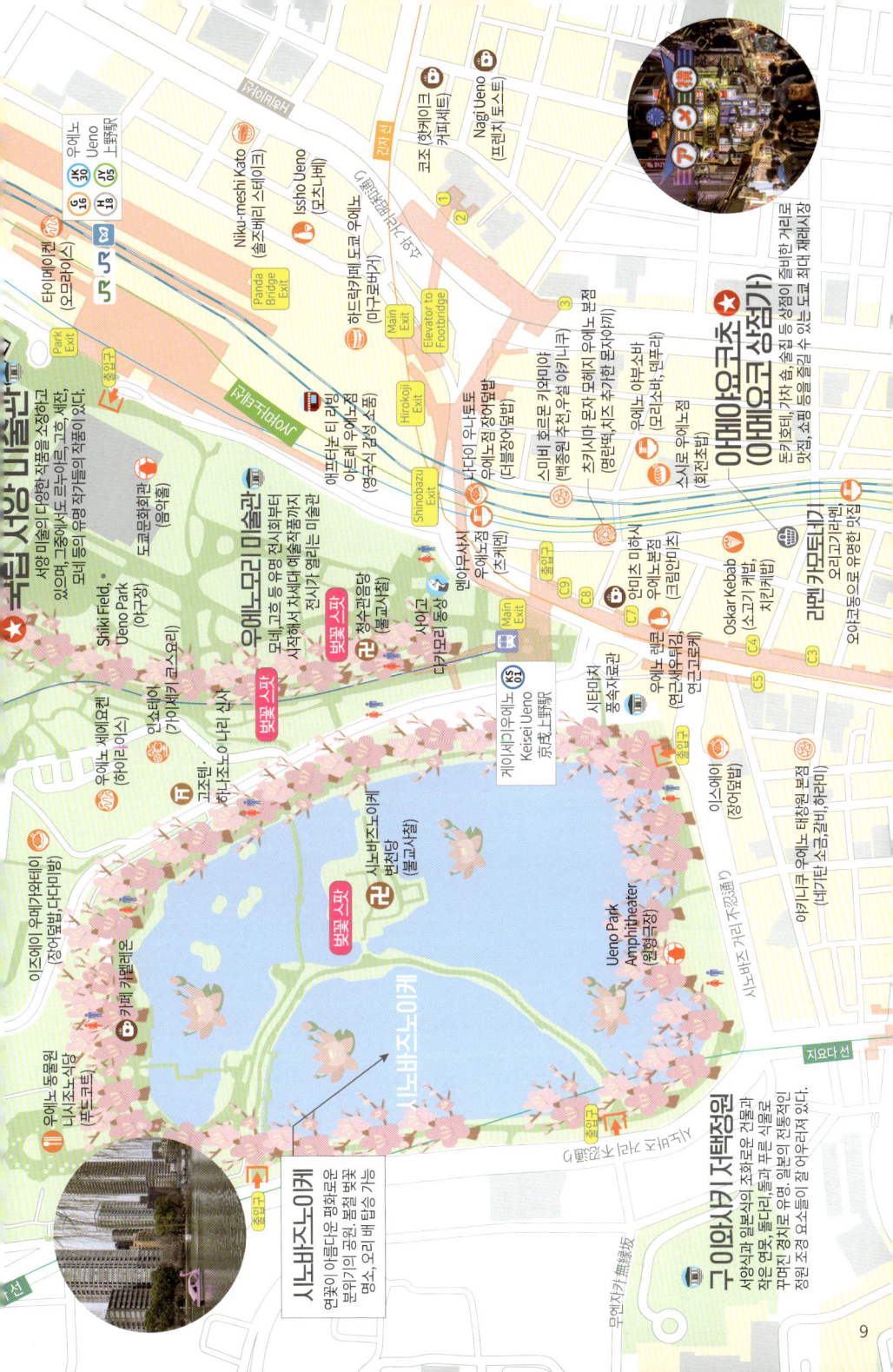

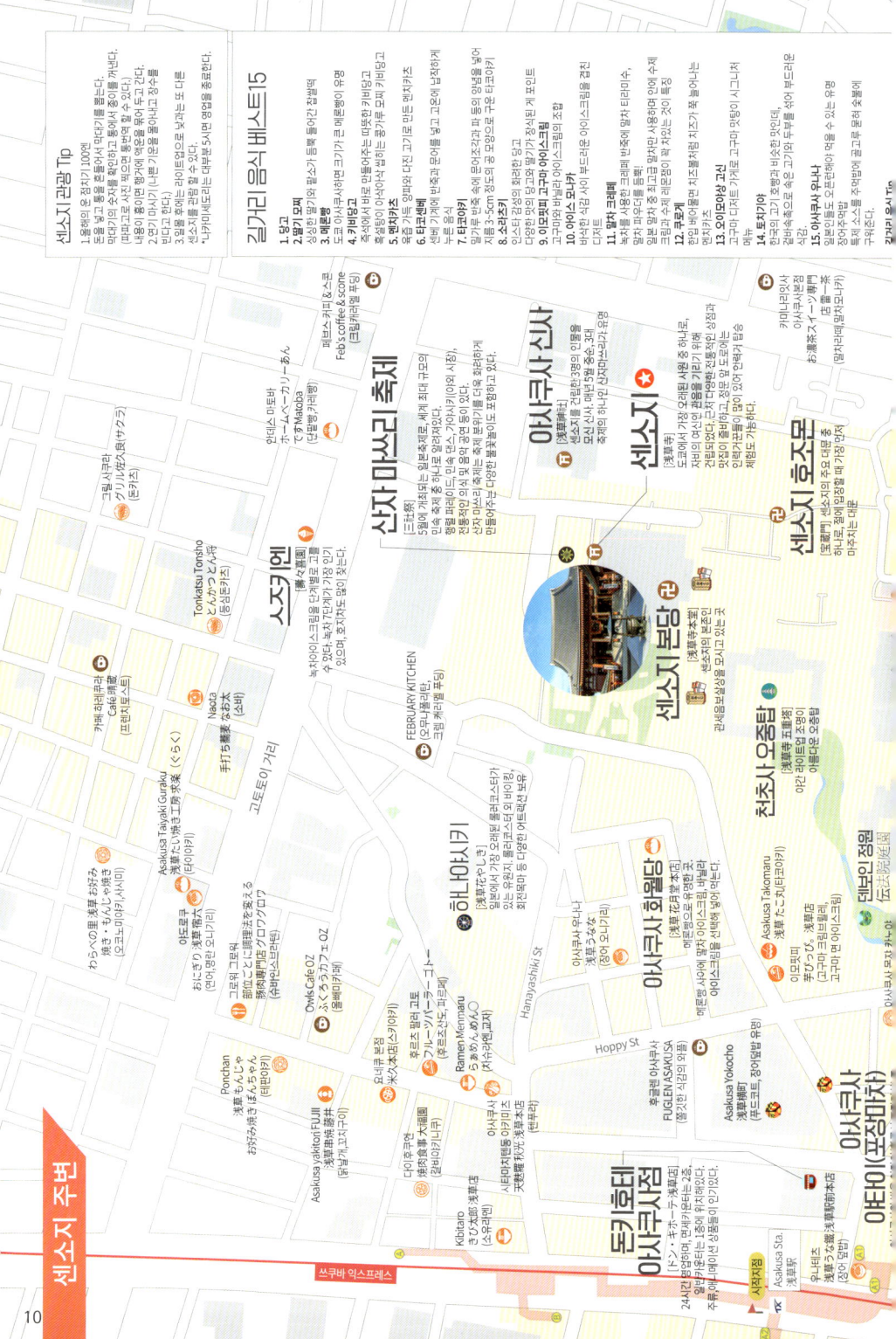

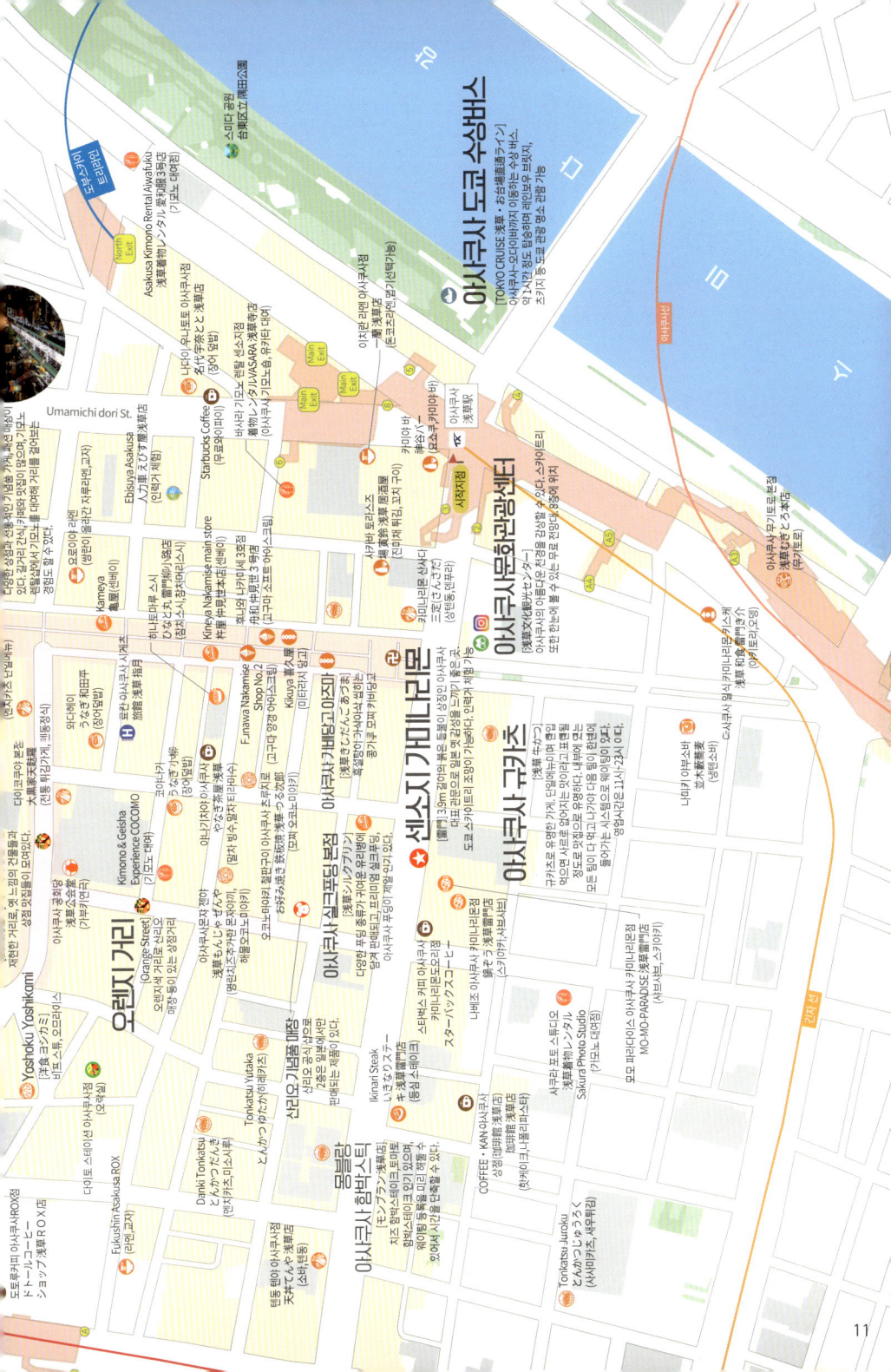

롯포기

모리정원
도쿄미드타운
산토리 미술관
롯포기 힐스 일루미네이션
모리타워
롯포기힐스
모리미술관
도쿄시티뷰 & 스카이덱
21_21 DESIGN SIGHT
건축공간으로 아름답게 공존하는 현대적이고 감각적인 전시를 볼 수 있는 미술관

건축가가 설계한 3층 높이의 건축 공간으로 아름답게 공존하는 현대적이고 감각적인 전시를 볼 수 있다.

국립신미술관
높이 8m으로 일본에서 가장 큰 미술관 중 하나이며, 유리파사드 레스토랑, 전망을 볼수있는 전망대로 구성

네즈 미술관
[根津美術館] 인상적인 모더니즘과 안도 타다오 설계한 독특한 신경건축구조의 실내 건물

오모테산도 힐즈
[表参道ヒルズ]

도쿄 마이센 오모테산도 본점
[とんかつまい泉青山本店]
히레카츠로 유명한 맛집으로 유명한 가게. 이곳만 유명하지 않고, 샌드위치 케이터링(도시락)

요리쿠
[よろく]
테이블 그릴에서 소고기를 구워 먹는다. 대신 분위기를 잡을 수 있는 아기자기한 바처럼 작은점

코파치나이자부
[西麻布]
영화 공간에서 유명 맛집. 디저트메뉴도 다양하고 분위기가 유럽의 한 레스토랑 정원에 온듯한 감각. 최소 한 잔은 마실 필요.

오모테산도
SHARE GREEN
MINAMI AOYAMA

진구가이엔
불꽃놀이 축제
[神宮外苑花火大会] 140만 이상이 찾아가는 도쿄의 대표적인 축제

메이지 신궁
1925년에 창건된 도쿄 시민들의 산책길로 애용되는 곳

라포레 하라주쿠
[ラフォーレ原宿]
140개 이상의 점포가 있는 쇼핑몰. 1월, 7월 앞쪽 최저가의 가격으로 쇼핑가능

하라주쿠
디자인 페스타 갤러리
하라주쿠 WEST점

캣 스트리트
[キャットストリート Cat.St]
하라주쿠와 시부야를 연결하는 거리로 선별된 쇼핑몰들이 많음

키디 랜드 하라주쿠점
[キデイランド原宿店]
4층 규모의 어린이를 위한 대형 캐릭터샵. 장난감뿐 아니라 이름 등을 판매하는 곳. 지브리, 스누피, 산리오 캐릭터 용품점

오리엔탈바자

도쿄 요요기 경기장
國立代々木競技場 체육관

다케시타 거리
[竹下通]는 문화의 발상지답게 여러 유행하는 아이템 등이 모여있는 곳. 다채로운 모습의 캐릭터샵 이쁜하는 크레페, 사탕 등 슬러싱이 좋아하는 다양한 신기한 상품과 신문 가게들이 매장 등 오픈

라쿠아랜드NOA
[プラウランドNOA]
[스타파시 먹는 곳]

요요기 공원
[代々木公園]
넓은 녹지와 산책 코스가 있는 대형공원. 벚꽃나무 도심 속 휴식의 장소로 사랑받는 명소

메이지신궁
시부야 센타가이
[渋谷センター街]

시부야 파르코
[渋谷パルコ]
쇼핑, 레스토랑, 카페가 많은 대형복합쇼핑몰로 직원한 색에 리뉴얼된 구조. 특히 6층에서 뭇볼수 있는 시부야 전망

해주쿠 시부야점
8층으로 이루어진 대형 쇼핑건물로 매장을 오픈, 식사류, 화장품을 다양한 쇼핑을 즐길 수 있는 고급 쇼핑몰

시부야 하치코
47 유기견의 유명 맛집. 대중들에게 데이트로 오는 소문이 자자한 자리

047 Museum

시부야 미야시타 공원
[MIYASHITA PARK]
쇼핑몰, 식당이 있는 복합시설, 옥상에 클라이밍 벽이 있는 스포츠를 즐길 수 있는 공간있음

시부야 노베게이 요코초
[渋谷のんべい横丁]

시부야 스카이
360도 전망대로, 건물 아래 자리한 쇼핑몰. 데이트장소로 한눈에 들어오는 아름다운 풍경을 볼수 있는 특별한 공간

시부야
스크램블 스퀘어
유명 쇼핑거리인 마루이하라 스퀘어 등 쇼핑몰과 교차로와 횡단보도를 건너는 인파를 보기 위한 교차로 전광판, 앞 쇼핑몰 교차로를 건너간 사람들이 활동을 알리는 특설에 건물 위 높이 울림이 유명함

시부야 109
메이지도리 시부야점
하주쿠역 동상
[渋谷スクランブルスクエア]

메이지 신궁
Owl Village Cafe Harajuku
ふくろうの里 原宿店 Owlvillage Harajuku
유명 액세서리 소품 매장 검정한 패션 아이템과 여러분에게 맛이로운 아이템 등을 추천. 디저트 가게들도 모여 있다. 크레페와 마카롱 등 귀여운 간식 모여 있고. 사탄들 신궁에 안내 상점과 카페. 매장 등이 많음

신주쿠역 주변

오모이데 요코초 즐길거리

꼭 먹어봐야 할 음식
- 야키토리
  닭꼬치를 탄두에 구워 만든 일본의 대표적인 꼬치구리 음식
- 사케
  일본 술. 맑은 술부터 진한 술까지 다양한 종류
- 오코노미야키
- 타코야키
- 쿠시카츠: 고기, 해산물, 채소 등을 꼬치에 꿰어 튀김옷을 입혀 튀긴 일본 음식

- 일반적인 영업 시간
  월요일 ~ 토요일: 오후 5시 ~ 다음 날 오전 5시
  (일부 매장은 오전 3시까지 영업)
  일요일: 오후 5시 ~ 다음 날 오전 2시
  (일부 매장은 오전 1시까지 영업)

꼭 먹어봐야 할 술
- 호센추
- 일본 전통 술. 쌀로 만든 탁주
- 쇼추 증류주. 다양한 종류의 쇼추
- 맥주
- 하이볼
  쇼추나 위스키에 소다를 섞어 만든 칵테일
- 사케 칵테일
  사케를 이용한 다양한 칵테일

오모이데 요코초 방문 팁
1. 저녁 6시 이후 방문
2. 인기 있는 매장은 빨리 자리가 찰 수 있으니 미리 예약
3. 현금만 사용 가능한 매장이 많으니 현금을 준비

멘야 쇼오 본점
麺屋 翔 本店 (츠케멘)

칸카가리 란아가리
(2시간 코스 무제한, 로바야키)

Shinjuku Unazakura
新宿 うなぎの桜 (장어덮밥)

모츠야키캡틴
もつ焼★キャプテン (꼬치구리, 다이라)

Ono-ya
おおの屋 (꼬치)

sirokaneya sinjuku
炭火焼専門食処 白銀屋 (구운생선)

커피 스왐프
coffee swamp (플랫화이트)

세이부 신주쿠역 앞 (2층)
- 세이부선
- 가부키초, 세이부신주쿠 페페, 고질라 헤드 (토호 시네마)

Ramen Nagi Nishi-Shinjuku 7-chome
すごい煮干ラーメン凪西新宿7丁目店 (니보시 라멘)

규카츠 교토카츠라
(등심카츠, 우설 카...)

모토무라 규카츠 니시신주쿠
牛かつもと村西新宿店 (규카...)

신주쿠 아키니쿠 시바우라 호르몬
新宿焼肉芝浦ホルモン (소혀, 소내장, 야키니쿠)

오모이데 요코초
생각나면 오래된 노포 분위기가 솔직이 일잠해 있어 외국인에게 인기 있는 추억의 먹자골목

마코토스시 신주쿠 誠
(스시 오마카세)

텐키차야
天吉屋 新宿店 (텐동, 우동)

Sompo Museum of Art
SOMPO美術館 (소규모 미술관)

Motsuyaki U...
(신선한 내장을 구워주는 모츠야키 전...)

오다큐 백화점 신주쿠
小田急百貨店新宿 (A17)

스시 이사키
(그 날의 오스스메 스시)

Unatoto Shinjuku Center Building
(장어덮밥)

북 퍼스트 신주쿠점
북퍼스트 신주쿠점
코쿤 타워 지하 1층과 2층에 위치한 대형 서점

신주쿠 센터빌딩
新宿センタービル

Al Dente Shinjuku Center Building
(알리오올리오)

신주쿠의 눈
スバルビル新宿の目

힐튼 도쿄
[ヒルトン東京]
호텔 테라스에서 즐기는 비어가든

하얏트 리젠시 도쿄
[ハイアットリージェンシー東京]
도쿄마에 역과 연결되어 있는 호텔. 프렌치, 중식당 등 6곳 레스토랑 보유

도쿄도청 남쪽 전망대
[東京都庁第一本庁舎南展望室]
도쿄도청 제1청사에 위치한 무료 전망대

도쿄도청 북쪽 전망대
[東京都庁第一本庁舎北展望室]
도쿄 도청 본정 건물의 맨 꼭대기에 위치한 아름다운 전망을 제공한다. 두 개의 타워로 구성되어 있어 도시 전망은 물론 후지산을 비롯한 산악 지형을 볼 수 있다. 특히 일몰이나 야경 때 풍경이 아름답다.

무사시노모리 다이나
むさしの森Diner
新宿中央公園店
(테라스, 클램 차우더, 브런치)

케이오 플라자 호텔 도쿄
신주쿠에 위치하고 있는 호텔. 관광지와 접근성이 좋아 교통이 편리하며, 디즈니랜드 무료 왕복 셔틀, 후지산 조망 가능

요도바시카메라 신주쿠 니시구치 본점
[ヨドバシカメラ新宿西口本店]
카메라 렌즈, 플래시, 액세서리 등을 구매할 수 있는 사진 용품 매장

이토...
(일본 대표...
다양한...)

톤친칸 (とんちんかん)
(돈카츠, 돈지루)

West Square 西口
서쪽 출구

서쪽 출구 (B1층, 2층)
- 오다큐선, JR선, 케이오선, 넥스, 택시, 버...
- 도쿄큐, 오모이데요코...
- 코쿤타워도코모타워

도쿄 도청
[東京都庁]
단게 겐조가 디자인한 도청사로 건물 꼭대기에 무료 전망대가 있다

신주쿠 서쪽 출구 카메라 거리
[新宿西口カメラ街]
요도바시카메라, 카메라노기타무라 등 전자제품 상가들이 모여 있는 구역

히마와리 스시 신도심점
(회전초밥)

게이오신선 통로 (B1층)
- 게이오신선, 도에이 신주쿠선, 도에이 오에도선 신주쿠역
- 루미네1, 게이오백화점, 게이오몰 아넥스, 도쿄도청

京王新線 Keio New Line Concourse

북쪽 전망대
시상 202m의 높이에서 전망이 가능하여 도쿄의 360도 파노라마 전망을 감상할 수 있는 곳으로 유명. 45층에 위치하며, 무료입장

북쪽 전망대
09:30 - 17:30 (마지막 입장 17:00)
휴무일: 매월 둘째 넷째 화요일

남쪽 전망대
09:30 - 22:00 (마지막 입장 21:30)
휴무일: 매월 첫째, 大매 화요일
운영 시간은 변경될 수 있으므로, 방문 전에 공식 접사이트나 관련 정보를 확인...
바랍니다.

도쿄 도청 전망대

신주쿠 워싱턴 호텔
[新宿ワシントンホテル]
도쿄 시내 전망이 가능한 호텔. 신주쿠 번화거리까지 약 도보 10분 소요

후운지
[風雲児]
면을 국물에 찍어 먹는 츠케멘이 유명한 맛집

남口 South Concou...

남쪽 출구 (2층)
- 오다큐선, JR선, 넥스, 고속버스, 공항버스, 택...
- 미로드, 루미네2, 플래그스, 서던테라스, 미라이나타워, NEWoMan, 다카시마야 타임즈 스퀘어, 신주쿠 교...

우동 신

파크 하얏트 도쿄
パークハイアット東京

스시 이와세
(스시 오마카세, 영어 메뉴북)

시부야역 주변

핸즈 시부야점
[ハンズ渋谷店]
8층으로 구성된 저렴한 가격의 가정용품 잡화점. 엘리베이터 보유

포켓몬 센터

시부야 파르코
[渋谷PARCO] 쇼핑, 레스토랑, 카페, 영화관이 있는 대형 복합 시설, 6층 포켓몬센터와 닌텐도 샵이 유명

세이로 시부야점
蒸し屋清郎 渋谷
(생선회 코스)

Jump Shop Shibuya Parco
JUMP SHOP 渋谷店
(주간 소년 점프숍, 다양한 만화 캐릭터)

만다라케 시부야점
[まんだらけ渋谷店]
중고 만화 및 애니메이션 관련 상품 전문점

Torikizoku Shibuya Inokashira-dori
鳥貴族 渋谷井の頭通り店
(야끼도리,하이볼)

베이프 스토어 시부야
BAPE STORE 渋谷
(일본 스트리트 브랜드, 시부야 패션 매장)

WWW
(라이브하우스)

모모 파라다이스 시부야 센터가이점
MO-MO-PARADISE 渋谷センター街店
(샤부샤부, 스키야키)

이카나리 스테이크
いきなりステーキ
渋谷センター街店
(솔즈베리 스테이크)

야키니쿠 라이크 시부야 우다가와초점
焼肉ライク渋谷宇田川町店
(1인석 야키니쿠,가성비)

Omusako Omurice
Shibuya Main Store
オムライス 渋谷本店
(오므라이스)

무인양품
無印良品 渋谷西武

시부야 클럽 콰트로
渋谷 CLUB QUATTRO

나베조 시부야고엔도리점
鍋ぞう 渋谷公園通り店
(스키야키)

브라스리 비론 시부야
ブラッスリー・ヴィロン 渋谷店
(크레이프)

메이드리밍 시부야점
[めいどりーみん渋谷SHIBUYA]
유행하는 메이드 카페, '모에모에큥' 맛있어지는 주문을 외치기도 하며 라이브 공연, 사진촬영 등 놀거리가 많다. 오므라이스,파르페가 추천메뉴

Adores Shibuya
アドアーズ 渋谷店
(인형뽑기)

이치란 시부야스페인자카점
一蘭 渋谷スペイン坂店

시부야 로프트
(팬시가게)

재즈바 코하쿠
Jazz bar 琥珀

ARONA SPA

카무쿠라 라멘
どうとんぼり神座 渋谷店
(배추와 부추가 올라간 라멘)

덴코즈 라멘

세이부 시부야 B관
西武渋谷店 B館

메가 돈키호테 시부야본점
[MEGAドン・キホーテ 渋谷本店]
7층으로 된 돈키호테 건물로, 일본의 모든 제품이 있다고 봐도 무방할 정도로 많은 제품이 판매되고 있다. 층별로 판매하는 카테고리가 다르며, 계산은 7층에서 할 수 있다. 면세 처리 결제도 7층에서 이뤄지고 있다.

Shibuya Center-Gai

맥도날드
시부야센터마치

시부야 센터가이
[渋谷センター街] 스트리트 브랜드, 라멘, 디저트 카페 등 다양한 먹거리가 모여있는 시부야 관광 대표 거리

ZARA

츠키마몬자 오코게 시부야
[月島もんじゃおこげ渋谷]
몬자야끼, 오코노미야키

세이부 시부야
(백화점, 비비안웨스트우드 손수건이 인기)

#C-Pla 시부야점
신규 갓샤숍, 다양한 종류의 갓샤들이 많으며, 지하1층~2층까지의 규모

Uoshin Shibuya
魚真 渋谷店
(사케, 사시미)

쿠시야키 비스트로 후쿠미미 시부야점
串焼BISTRO福みみ 渋谷店
(치킨반, 꼬치구이)

케이카 라멘
시부야센터가이점
(구마모토라멘)

마츠야 시부야센터점
(김치규동)

회전초밥 VIEW

Tachinomi Nagi
立呑み なぎ
(서서 마시는 이자카야)

우오베이 시부야 도겐자카점
[魚べい 渋谷道玄坂店]
신선하고 다양한 종류의 스시, 참치 회, 튀김, 라멘의 맛도 훌륭한 가성비 회전 초밥

Shibuya 109
[SHIBUYA109]
10대부터 20대까지 젊은 여성들의 인기 있는 패션의 성지

시부야 109 인기매장
B1 프리쿠라
6F 산리오매장
8F 갓샤숍

시부야 스크램블 교차로
도쿄 시부야에 위치한 세계에서 가장 번화로운 보행자 교차로. 하루에 약 2,500명의 보행자가 동시에 건너가는 압도적인 규모를 자랑하며, 빨간 신호가 꺼지면 모든 방향에서 사람들이 쏟아져 나오는 혼란스러운 광경은 시부야를 상징하는 명소

Meikyoku Kissa Lion
名曲喫茶ライオン
(밀크커피, 밀크에그)

하카타 꼬치전문점 조우몬
博多串焼専門店ジョウモン
(모츠나베, 야키토리)

히키니쿠토 코메 시부야점
挽肉と米 渋谷店
(솔드아웃 스테이크, 금요일 예약 오픈)

네기시 도겐자카점
ねぎし 道玄坂店
(규탄 전문점, 우설, 토로로)

유니클로 시부야 도겐자카점
ユニクロ 渋谷道玄坂店

프리쿠라
(스티커 사진)

프리쿠라 스티커 사진 찍는 법
1. 기계 밖 옆의 스크린에서 금액을 지불
2. 프레임 고르기
3. 부스에서 촬영
4. 촬영이 끝나면 꼭 스크린에서 가리키는 방향으로 나가주기
5. 스티커 사진 꾸미기

호루몬야키니쿠 엔 시부야점
ホルモン焼肉 縁 渋谷店
(b코스 시키면 무한리필이 되는 야키니쿠집)

천하스시
天下寿司 渋谷道玄坂店
(회전초밥, 체인점)

츠바메그릴 시부야마크시티점
つばめグリル 渋谷マークシティ店
(스테이크, 함바그)

토리카츠 치킨
とりかつチキン
(치킨카츠)

Ganso Unatetsu
元祖 うな鐵
(가성비 좋은 장어덮밥)

KOBUSHI BEER LOUNGE & BAR
(수제맥주)

멘야무사시 시부야점
渋谷麺屋武蔵 骨づ伝
(츠케멘)

스시노미도리 시부야점
[梅丘寿司の美登利 渋谷店]
긴 시간 웨이팅을 각오하고 갈 만큼 훌륭한 맛과 저렴한 가격의 스시집

미요시테이 와규와 미 스카트 스테키
和牛と米 三芳亭
(스커트 스테이크, 와규 히츠마부시)

West Exit

Central Exit

dogenzaka-dori
도겐자카도리
(아담한 생활용품, 다양한 물건 살 수 있는 곳)

Tokyo Comedy Bar
(코미디 쇼가 있는 바)

Shimbu Sakiya Ramen
麺匠 真武咲弥 渋谷店

도겐자카 맘모스
道玄坂マンモス
(츠케멘)
(비건 라멘, 미소 라멘)

돈카츠 와코
とんかつ 和幸 渋谷マークシティ店

케이오 이노카시라 선

시부야 마크 시티
渋谷マークシティ
(쇼핑몰)

토리타케 총본점
鳥竹総本店
(꼬치전문점, 피망꼬치, 닭꼬치)

도큐플라자 시부야
[東急プラザ渋谷]
지하 4층, 지상 18층 규모의 복합 상업 시설

샤와에센오 팬케이크
시부야점
(수플레 팬케이크, 아이스크림 팬케이크)

Standard Products 渋谷
スタンダードプロダクト 시부야마크시티점
(업그레이드 다이소, 생활용품 상점)

시부야 후쿠라스
渋谷フクラス(쇼핑몰)

16

타워 레코드 시부야점
[코드 시부야점] 세계 최대 규모의 레코드 매장으로 음악, 문화 행사, 아티스트 만남을 즐길 수 있는 공간이 테마별로 나뉘어 있어서 둘러보는 재미가 있다.

Jingu-dori St.

rill Shibuya

시부야 미야시타 공원
[MIYASHITA PARK]
쇼핑몰, 식당이 있는 복합시설. 옥상에 클라이밍 등 스포츠활동을 할 수 있는 공간 보유

Marugame Seimen
Shibuya Metro Plaza Shop
(우동,아나고튀김)

돈카츠와코
とんかつ和幸 メトロプ
ラザビル渋谷店
(현금결제만 가능, 돈카츠)

란 시부야점
[시부야점] 전 좌석이 1인 전용 으로 혼자 방문해도 맛있 도쿄 라멘을 맛볼 수 있다

마그넷 바이 시부야 109
[MAGNET by SHIBUYA(マグネットバイシブヤ)109]
옥상전망대가 있는 쇼핑몰. 시부야 스크램블 교차로의 모습을 가까이서 볼 수 있다.

시부야 요코초
[渋谷横丁]
옛날 분위기 물씬 나는 시부야의 낭만적인 술집 골목

타카비야
焚炎家
(야키니쿠)

차테이 하토우
茶亭 羽當 渋谷
(비엔나 커피, 시폰 케이크)

Onitei 鬼亭
(닭고기 야키니쿠)

시부야 논베이 요코초
[渋谷のんべい横丁]
쇼와 시대 및 레트로한 분위기의 소규모 이자카야 펍과 식당이 즐비해있는 술집 거리

시부야 도큐 레이 호텔
渋谷東急REIホテル

Nagomi 和
(감자 오코노미야키가 맛있는 논베이 요코초의 이자카야)

라케루
ラケル 渋谷宮益坂店
(오므라이스)

원피스 무기와라 스토어 시부야 본점
ONE PIECE 麦わらストア 시부야 본점
(시부야 스토어) 원피스 밀짚모자 스토어)

츠키시마 몬자 쿠우야
[月島もんじゃくうや渋谷]
명란 떡 몬자야끼가 유명한 몬자야끼 전문점. 직접 타지 않게 뒤집히주며 구워먹는 재미를 느낄 수 있음

은좌쿠킨 시부야점
銀座烏ぎん 渋谷店
(솥밥정식)

Chiku Chiku Cafe
ちくちくCAFE
(고슴도치 카페)

Miyamasu-Zaka Ave

규카츠 모토무라 시부야분점

맥스 파크 루프탑 시부야 크로싱
Mag's Park / CROSSING VIEW
(마그넷 바이 시부야 109에 위치한 곳)

시부야 스카이 VIEW
[SHIBUYA SKY]
시부야 스크램블 스퀘어 상부에 위치한 360도 야외 전망대로, 건물 바로 앞 스크램블 교차로의 횡단보도를 건너는 인파를 보기 위한 최고의 장소다. 맨 꼭대기 층 실외에는 해먹에 누워 하늘을 볼 수 있는 넓은 옥상이 있다.

하브스 시부야히카리에신큐스점
(밀크레이프, 과일 생크림 케이크)

d47 Museum
(전시미술관)

Miyamasuzaka Exit

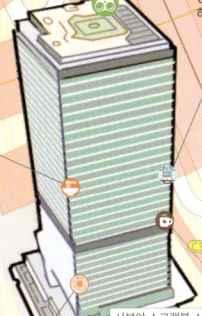

시부야 히카리에
[渋谷ヒカリエ]
d47 뮤지엄과 유명 맛집, 디앤디파트먼트 등 인기 있는 스토어가 모여 있는 멀티 플레이스

하치코 동상
[忠犬ハチ公像]
영화로도 제작된 충견 하치코의 동상으로 시부야의 대표적인 약속 장소

시부야 스크램블 스퀘어 VIEW
[渋谷スクランブルスクエア]
유명 베이커리 티에리 마르크스 등 디저트와 맛집, 쇼핑몰을 갖춘 쇼핑센터. 건물 바로 앞 스크램블 교차로의 횡단보도를 건너는 인파로 유명하다.

시부야 스크램블 스퀘어 12층 무료 전망 포인트
12층 레스토랑 층에는 동쪽과 남서쪽으로 열린 전망 공간이 있는데, 동쪽에서는 시부야 스크램블 교차로를 내려다볼 수 있다. 46층내서 4층에 위치한 시부야 스카이만큼 탁 트인 뷰는 아니지만, 식사를 하거나 쇼핑을 하면서 잠시 둘러 교차로를 구경하기에 좋다.

츠루동탄 우동 누들 브라스리 시부야
つるとんたん
(명란젓우동,새우크림우동, 13층)

홋카이도 스프카레
스아게 시부야
(수프 카레)

Myth of Tomorrow
본의 예술가 오카모토 타로가 1969년에 제작한 거대한 벽화

5 CROSSTIES COFFEE VIEW
[渋谷スクランブルスクエア]
스크램블 교차로를 볼 수 있는 곳. 사람이 많이 없어 한적하며, 시부야 이누 전광판을 볼 수 있는 곳. 시부야 스크램블 스퀘어 14층에서 오피스층으로 가는 에스컬레이터 타면 도착!

JR
West
Exit

시부야
渋谷駅

시부야 스크램블 스퀘어

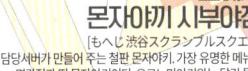

모헤지 몬자야끼 시부야점
[もへじ 渋谷スクランブルスクエア]
담당셰프가 만들어 주는 철판 몬자야키. 가장 유명한 메뉴는 명란젓과 떡 몬자야키이다. 오코노미야키와는 달리 묽은 반죽의 형태. 영업시간은 11시~23시이며 웨이팅이 긴 편이니 시간적 여유를 두고 방문 하길 추천한다. 12층 위치

딘 앤 델루카 카페 시부야
DEAN & DELUCA 카페
시부야 스트림
(아보카도 토스트)

17

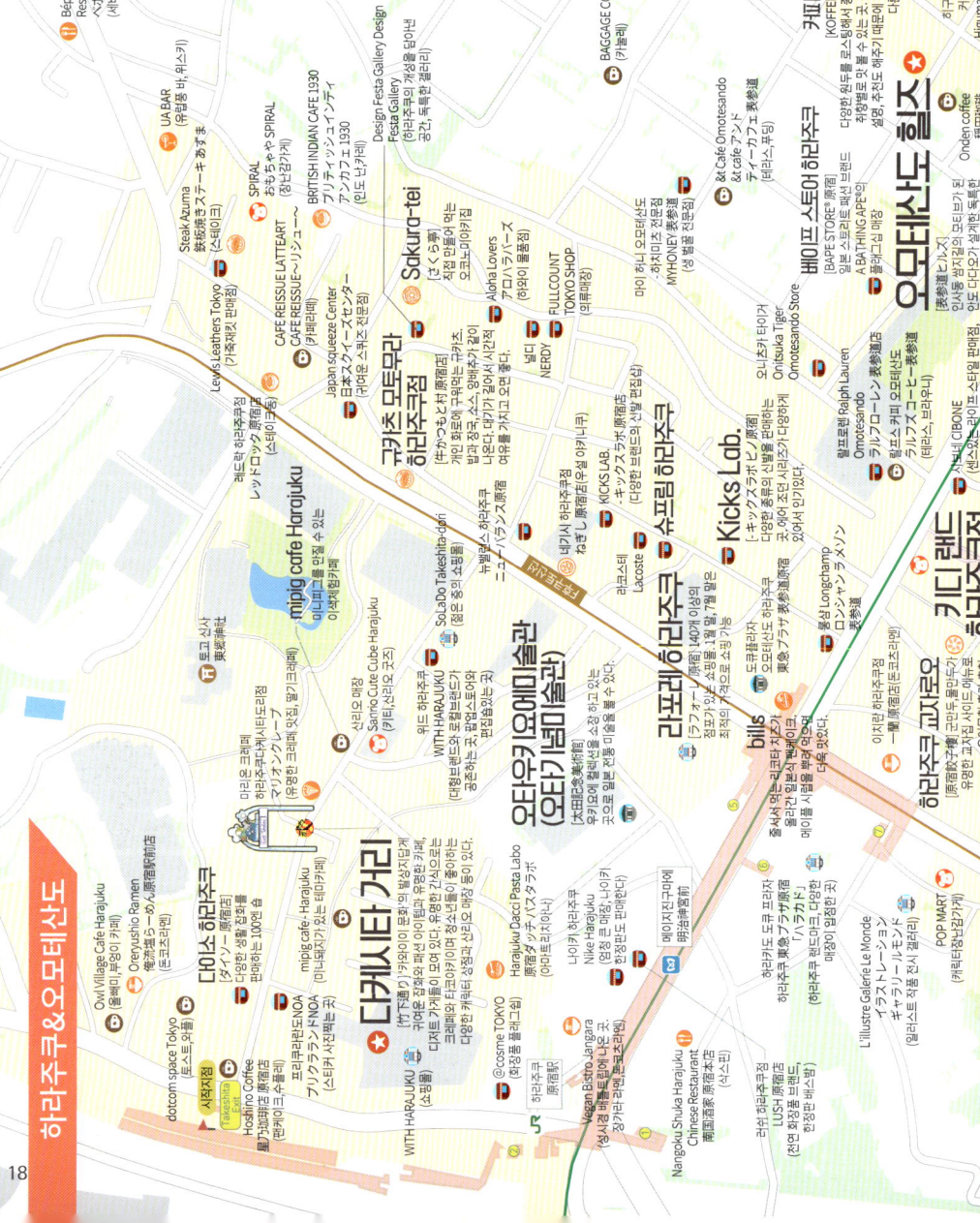

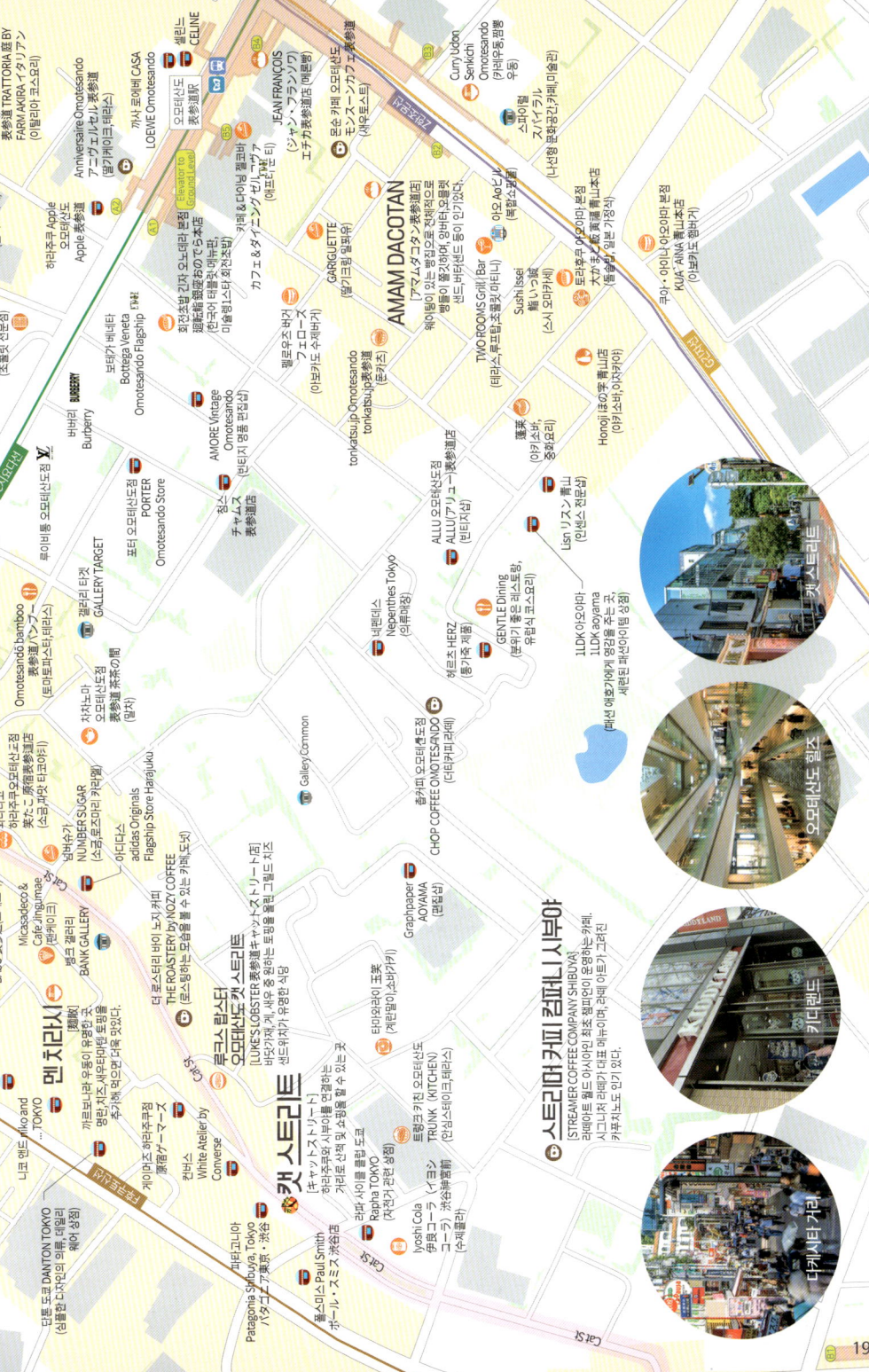

도쿄역

진보초 책방 거리
[Kanda Jimbocho Bookstore Area]
고 서적과 만화책 등 다양한 출판물을 득템 할 수 있는 규모가 큰 중고 서점거리

야스쿠니 신사
[靖國神社] 일본이 벌인 주요 전쟁에서 숨진 군인 및 민간인의 위패를 보관에 둔 곳. 2차 세계대전 A급 전범들의 위패 보관. 군국주의 조장한다는 논란이 많은 곳

사쿠라 호텔
サクラホテル 神保町

야스이 위령당
弥生慰霊堂

일본 무도관
日本武道館

기타노마루 공원
北の丸公園

과학기술관
科学技術館

도쿄 국립 근대 미술관
[東京国立近代美術館]
메이지 시대 초기에 제작된 일본 예술작품을 소장하고 있는 미술관

치도리가후치 해자
[千鳥ケ淵] 봄에는 벚꽃 명소로 유명. 약 260그루의 벚꽃나무가 해자를 따라 심어져 있으며, 꽃이 만개하면 터널처럼 아름다운 풍경을 자랑한다. 보트를 타고 벚꽃 사이를 떠돌아다니거나, 산책로를 따라 걸으며 벚꽃을 감상할 수 있다.

고쿄 히가시 교엔
[皇居東御苑] 에도 시대의 유적지인 토지와 성벽, 조경 정원이 있는 곳으로, 역사적인 가치와 아름다운 풍경을 간직하고 있다. 영어 가이드 투어는 일반인에게 공개되지 않는 성내의 공간을 둘러보며 역사적인 배경과 조경 정원을 보다 깊이 있게 이해할 수 있다.

도쿄 그린 팰리스
東京グリーンパレス

치도리가후치 공원
千代田区立 千鳥ヶ淵公園

고쿄
[皇居]
역대 일왕이 거주하는 곳. 황거 주변에는 아름다운 정원과 역사적인 건축물들이 있어 많은 관광객이 찾는 명소로 꼽힌다.

팰리스 호텔 도쿄
パレスホテル東京

도쿄역
[東京駅] 메트로, JR 국철, 신칸센, 도쿄 익스프레스 등을 이용해 일본의 여러 지역을 연결하는 중요한 교통 허브다. 지하에는 다양한 브랜드의 쇼핑몰과 라멘 거리가 있으며, 레스토랑, 카페 등 편의 시설도 다양하게 갖추고 있다.

마루노우치 빌딩
[丸の内ビルディング]
다양한 쇼핑 명소 및 먹거리가 있는 37층 고층 빌딩. 전망대에서 도쿄 경치 감상 가능

고쿄 가이엔
[皇居外苑] 해자로 둘러싸인 왕족의 거주지인 황궁의 앞에 위치한 공원, 도쿄 제1의 벚꽃 명소 (경관좋은 산책로, 일루미네이션)

마루노우치 브릭 스퀘어
[丸の内ブリックスクエア] 붉은 벽돌과 정원, 산책로가 있는 쇼핑몰. 유럽 감성이 있는 공간

국회 의사당
[国会議事堂]
가이드 투어를 통해 건물 역사와 일본 국회 활동에 대해 자세히 알 수 있는 곳

킷테 마루노우치
[KITTE丸の内] 옛 도쿄 중앙 우체국 건물에 입점한 상점, 레스토랑 등을 갖춘 쇼핑센터

히에 신사 ★
산노마쓰리
[山王祭] 아카사카에 위치한 히에선사에서 개최되는 일본 3대 마쓰리 중 하나. 짝수해마다 6월~17일에 열림.

도쿄 미드타운 히비야
[東京ミッドタウン日比谷]
상점, 식당, 영화관이 있는 쇼핑몰. 특히 히비야 공원을 내려다 볼 수 있는 데크가 유명

아카사카 히카리 공원
氷川公園

곳카이기
지도마에

호텔 오쿠라 도쿄
[オークラ東京]
도쿄 중심부에 있는 일본 전통호텔, 전 세계 주요 국빈들이 이용하는 호텔로 유명

도라노몬 고토히라궁
虎ノ門 金刀比羅宮

히비야 공원
[日比谷公園]
매년 크리스마스 마켓이 열리며 아름다운 꽃과 분수원이 있는 일본의 첫 서양식 공원

도큐플라자 긴자
[東急プラザ銀座]
스시로 유명한 네무로 하나마루, 츠루동탄 등 유명 맛집과 롯데면세점이 입점해 있는 대형 쇼핑몰

웨스트 긴자본점
[銀座ウエスト銀座本店]
앤티크한 분위기의 디저트 카페, 음료, 케이크로 구성된 케이크 세트가 유명하며, 다양한 케이크가 담긴 케이크 샘플을 보고 주문 가능

긴자 그래픽 갤러리
ギンザ・グラフィック・ギャラリー

시세이도 갤러리
資生堂ギャラリー

산토리 홀
[サントリーホール]
클래식, 재즈, 팝 등 음악과 예술 감상이 가능한 콘서트 홀

신바시니시구치광장
[新橋駅西口広場(SL広場)]
증기 기관차와 야간 조명이 아름다운 철도 광장

Karasumori Shrine
烏森神社

유니클로 긴자점

긴자 식
[GINZA SIX] 명품 다수 인기 매장이 입점에 루프탑 정원이 도쿄의 명소로 꼽히는 쇼핑

요도바시 카메라 멀티미디어 Akiba
[요드바시카메라 멀티미디어Akiba]
일생 내 최대 규모로 가진 전자제품 전문점.
지상 9층, 지하 6층으로 구성되어 있으며
쇼핑, 식사도 가능

에도 도쿄 박물관
큐야스다 정원
墨田区立旧安田庭園

에도·도쿄 박물관

하바라 전기 상점가
니메이쉬 소장품,피규어 등 다양한
것을 판매하는 상점들이 가득한 거리

아키하바라 라디오회관
[秋葉原ラジオ会館]
1~9층으로 구성되어 있으며 만화,
애니메이션 상품을 판매하는 상업 단지

료고쿠 국기관
[国国国技館]
1년에 단 3번 열리는 실내 스모 경기장
스모에 진심인 일본인과 외국인의
열기가 가득한 곳. 6시 이후로 갈수록
유명한 선수가 나온다

키칸보
[カラシビ味噌らー麺 鬼金棒 神田本店]
라멘 전문점. '카라시비'라는 매운 양념을
사용한 라멘이 유명, 산초와 고수 추가 가능

야카타부네 체험
[屋形船体験]
덴푸라, 사시미 등 일식과 무제한 음료를 즐기며
도쿄 경치를 만끽할 수 있는 크루즈 투어

니혼바시 미츠코시 본점
[日本橋三越本店]
일본 최초 백화점으로 입구 앞
사자동상과 내부 1층 조형물이 유명

규카츠 모토무라 코레도 무로마치점
[牛かつもと村 コレド室町店]
육질이 부드럽고 맛있는 우스카츠
(소고기까스)전문 레스토랑

아파 호텔 닌교쵸-에키 키타
[人形町駅北]

하마쵸

모리시타

만다린 오리엔탈 도쿄
マンダリンオリエンタル東京

화폐박물관
日本銀行金融研究
所 貨幣博物館

니혼바시

도쿄 일루미리아
[東京イルミリア]
도쿄 일루미리아는 도쿄역 야에스 출구에서
니혼바시로 이어지는 니혼바시 사쿠라 거리를
중심으로 반짝이는 조명이 수놓은 아름다운
거리를 볼 수 있는 일루미네이션 축제다

아마자케요코쵸
甘酒横丁(도미야끼,작은 상점가)

메이지자 극장
明治座

신주무 선

고토구 바쇼 기념관
江東区芭蕉記念館

도쿄 라멘 스트리트
[東京ラーメンストリート]
도쿄역 지하에 라멘 전문점이
늘어서 있는 유명 거리

츠지한 니혼바시 본점
[日本橋 海鮮丼 つじ半 日本橋本店]
성게,연어알 등이 들어간 해산물 덮밥으로 유명함. 처음엔 덮밥으로, 마지막엔 도미로 우려낸 국물을 추가해 오차즈케로 먹는다. 결제는 선납으로만 가능하며 웨이팅이 상당하다. 테이크아웃 가능

스이텐구
水天宮

스미다가와 테라스
[隅田川テラス]
스미다 강에 있는 산책로.
가치도키바시, 주오오하시 등 다리 관람은
아녀 뉴부은 산책이 가능한 곳

캐릭터 스트리트
キャラクターストリート
내부에 위치한 중앙 상가.
애니, 스누피 등 애니메이션
상품 매장이 모여있는 곳

포켓몬카페
[ポケモンカフェ]
포켓 캐릭터 모양의 요리와 기념품을 파는 카페로 예약을
해야만 갈 수 있다. 예약은 31일 전 18시에 오픈하며, C와 D
구역에 포켓몬 공연이 진행된다. 영업시간은 10:30 ~ 22시

가야바쵸

니혼바시 다카시마야
[日本橋高島屋 S.C.]
일본 국가문화재로 지정되어 있는
전통 있는 백화점. 옛 엘리베이터가
유명하며 엘리베이터 안내원이 있음

기요스미 공원
[清澄公園]
일본식 정원, 산책로 등이 조성되어 있는 공원.
커다란 호수를 중심으로 둘레 산책하기 좋음.

아티즌 미술관
[アーティゾン美術館]
고대 그리스 도자기, 마네, 피카소 등
작품을 감상할 수 있는 미술관.
스마트폰을 통해 오디오 가이드 제공

도쿄역 일번가
[東京駅一番街]
일본 애니메이션과 캐릭터 만화 매장, 라멘
식당, 다양한 음식점이 모여있는 지하상가

교바시

다카라쵸

긴자 이토야 본점
[銀座·伊東屋] 문구 덕후들의
아지트. 다양한 문구류를 판매하는
12층 규모의 대형 문구 백화점

핫초보리

게이요 선

도쿄 교통 회관
[東京交通会館]
전국 특산품을 판매하는 안테나숍과
레스토랑 등이 있는 쇼핑몰

몬젠나카쵸

마쓰야 긴자
松屋銀座] 유명 명품 브랜드와 일본
스타벅스 1호점이 있는 긴자 대표 백화점

신토미쵸

긴자 미츠코시
[銀座三越]
유명 패션 의류매장과 잡화, 식료관, 9층에
아트 아쿠아리움 미술관까지 보유한 백화점

츠쿠다 공원
中央区立佃公園

Chuo City Ishikawajima Park
中央区立石川島公園
(벚꽃과 다리 야경을 같이 볼 수 있는 곳)

부키좌 극장
伎座] 에도 시대부터 이어져온 가부키
를 볼 수 있는 곳이다. 고급스러운
화려한 의상, 아름다운 메이크업이
특징. 가부키 배우들을 전문적인 훈련을
받은 유명 스타일의 공연을 선보인다.

스미요시 신사
住吉神社

메이지마루
明治丸(메이지시대 배가 전시된 곳)

긴자 거리
[銀座] 일본 최고 쇼핑 지구 중 하나이자,
세계에서 주목 받는 명품거리

쓰키지 혼간지

엣추지마

아이오이교
相生橋 (야경이 멋있는 다리)

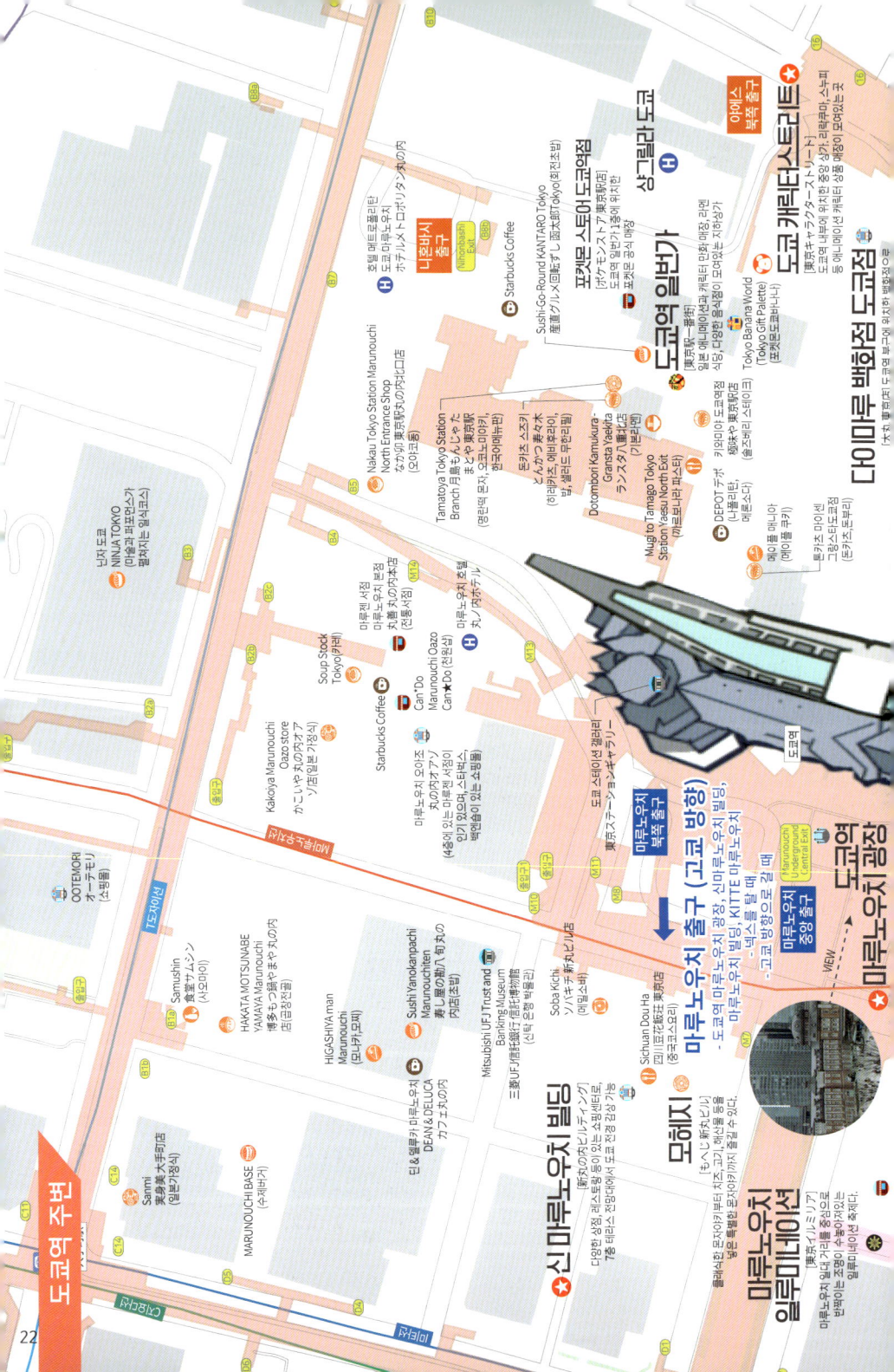

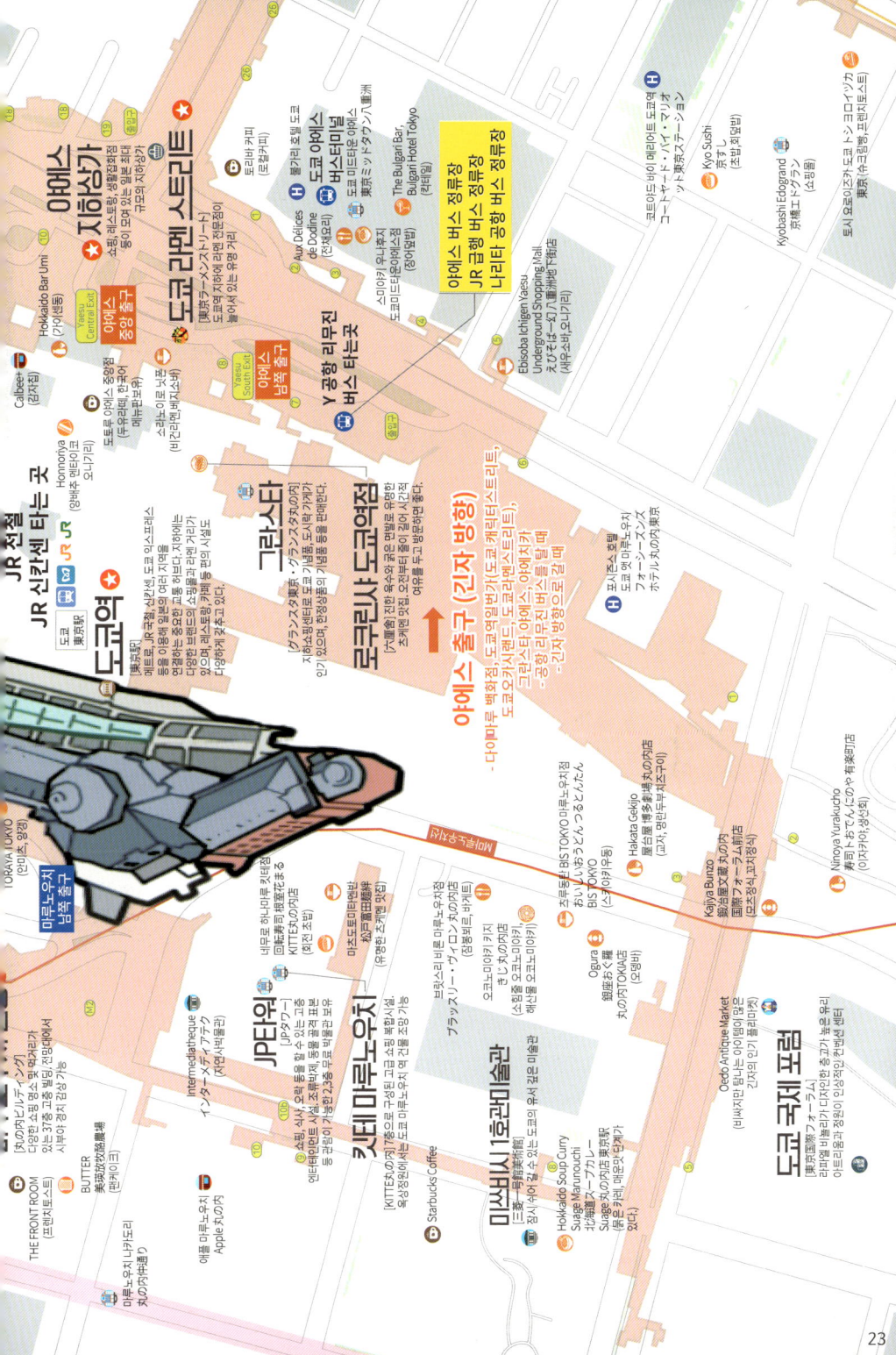

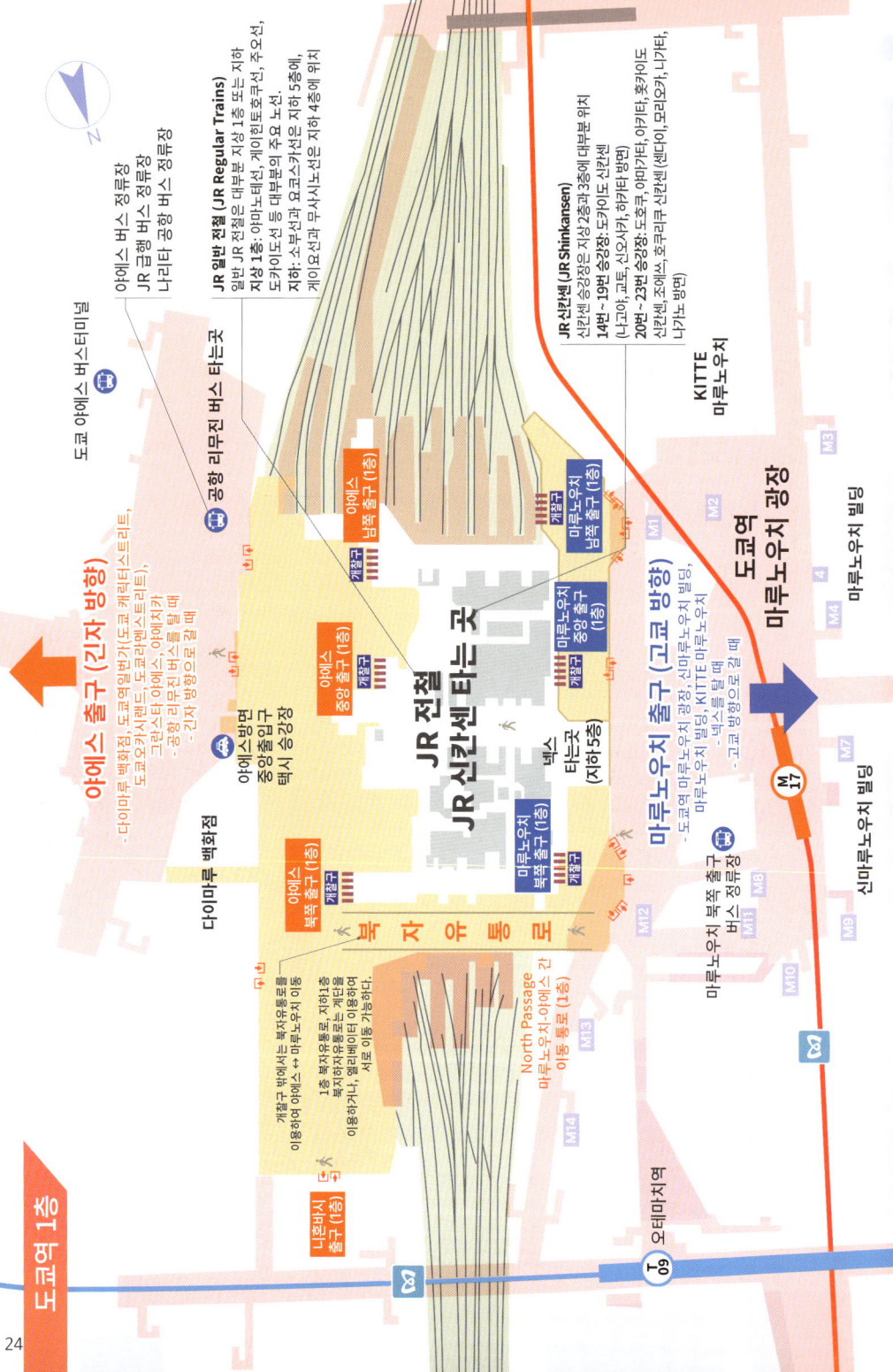

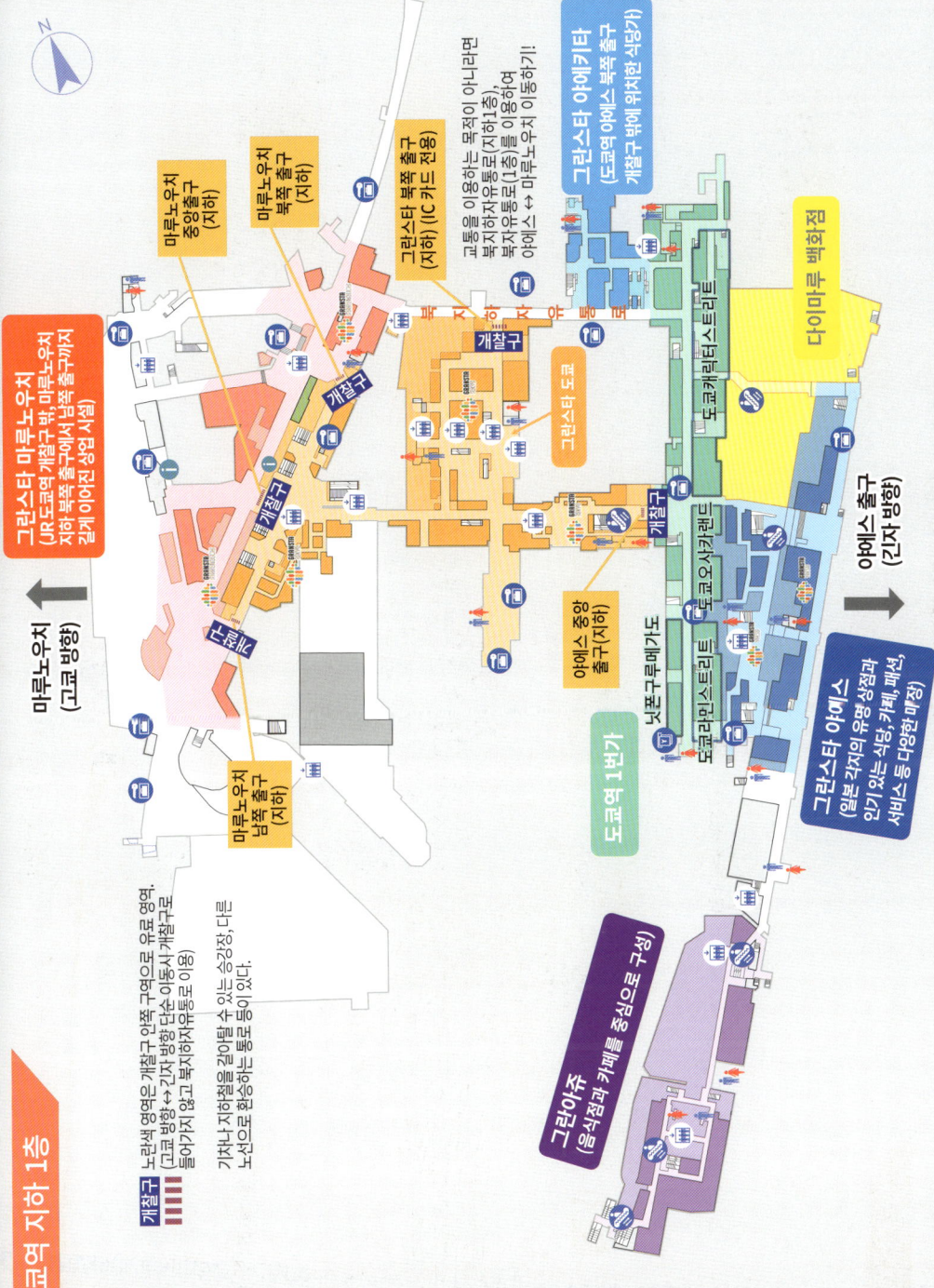

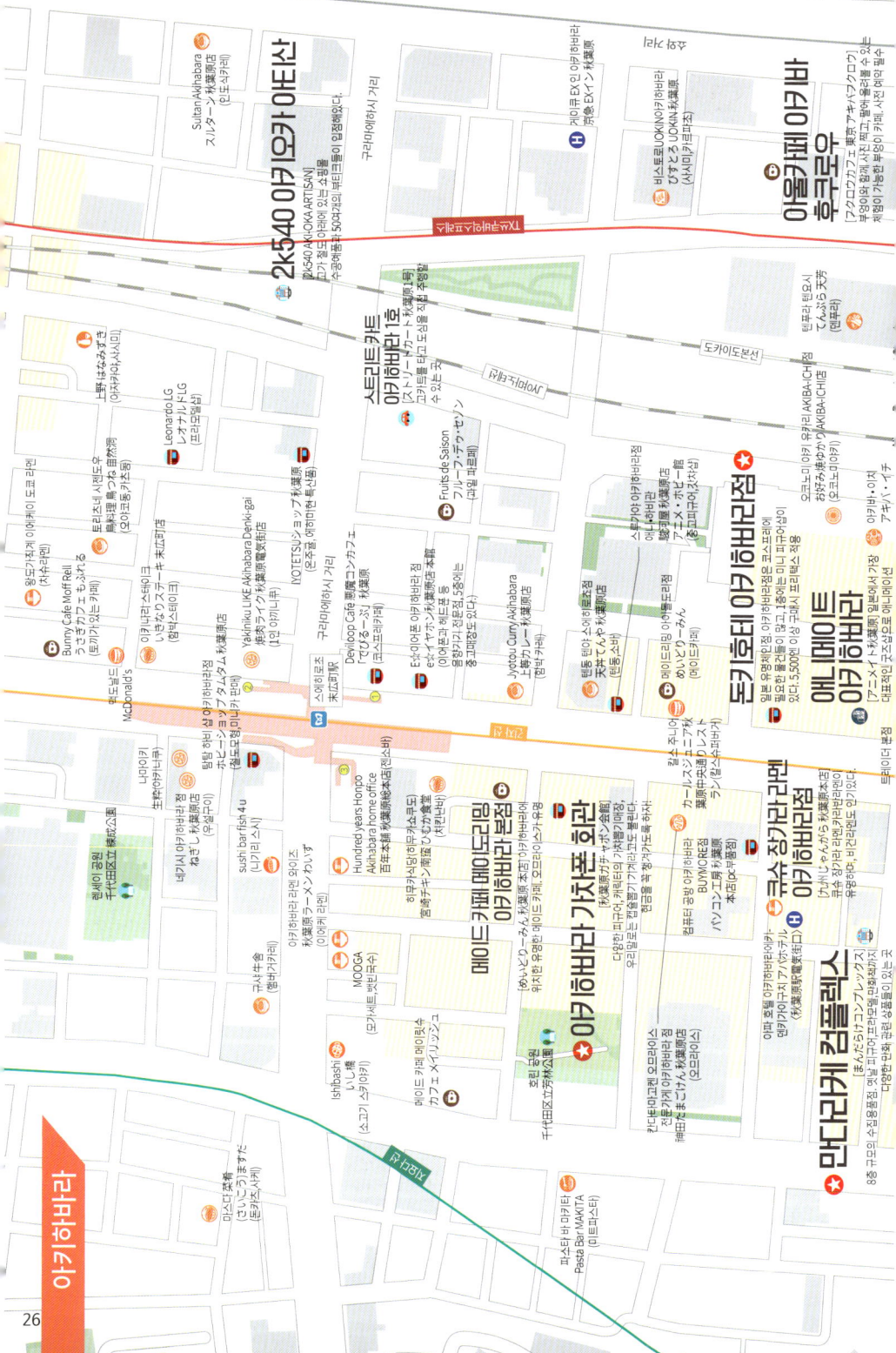

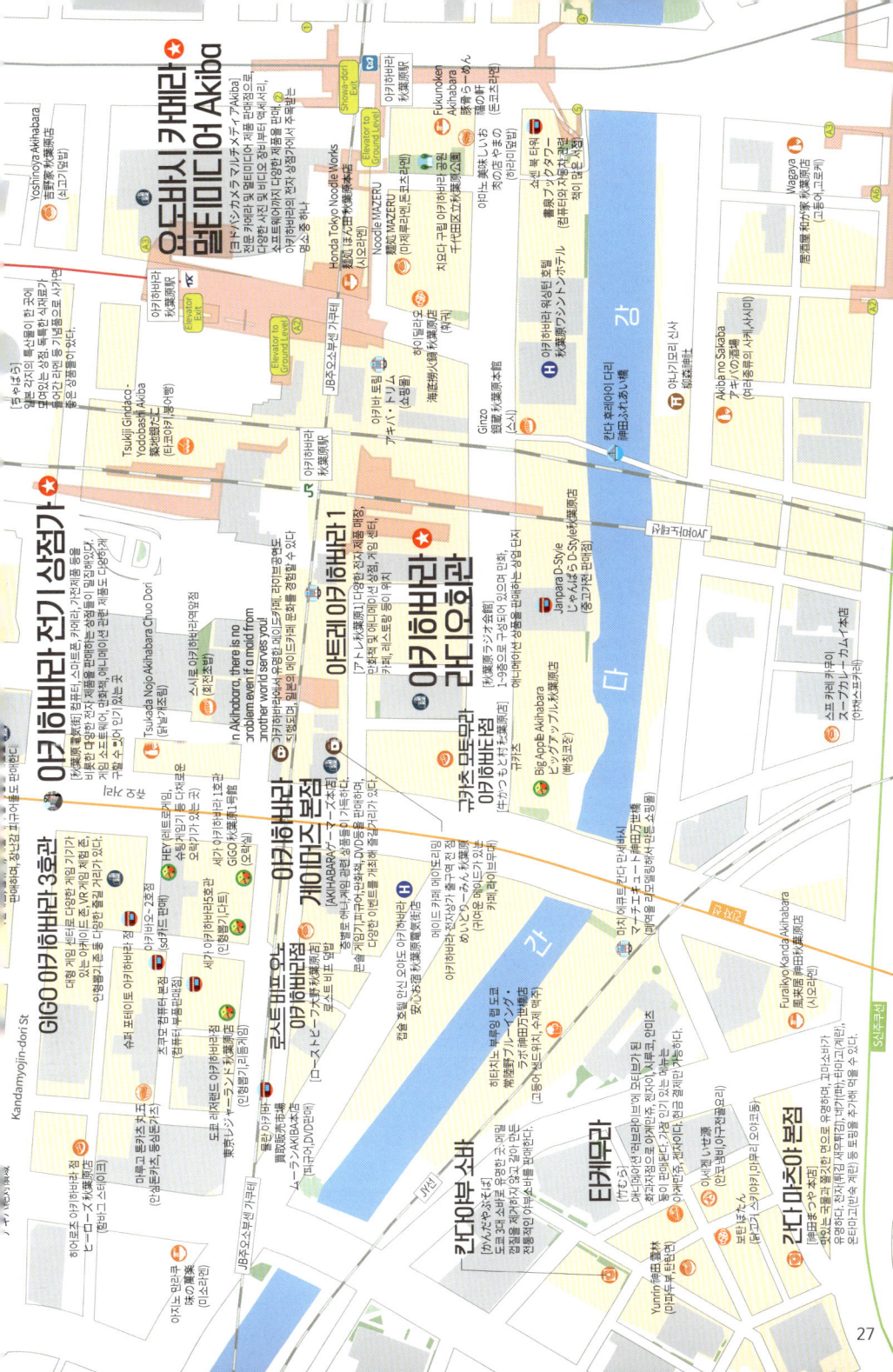

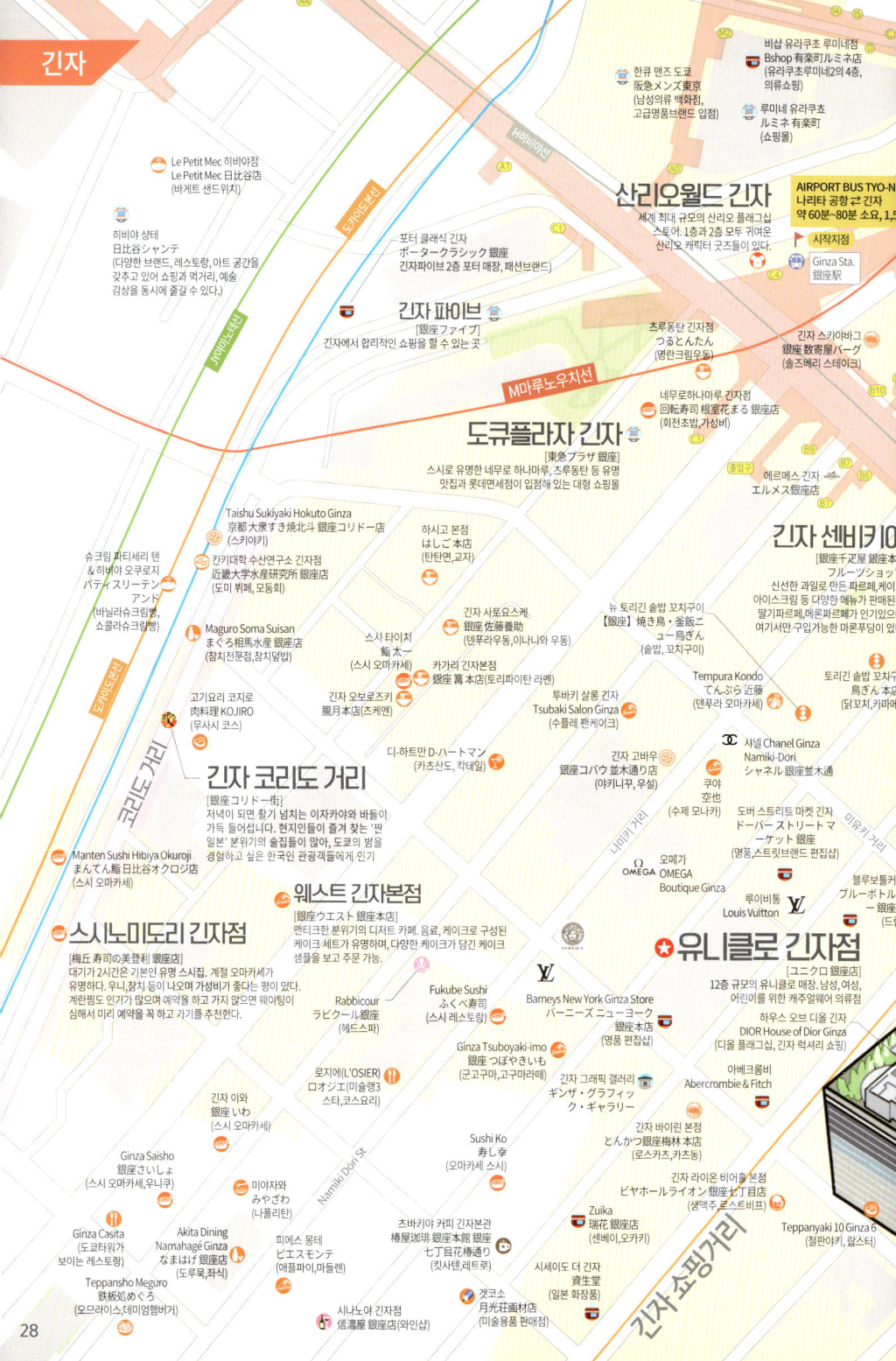

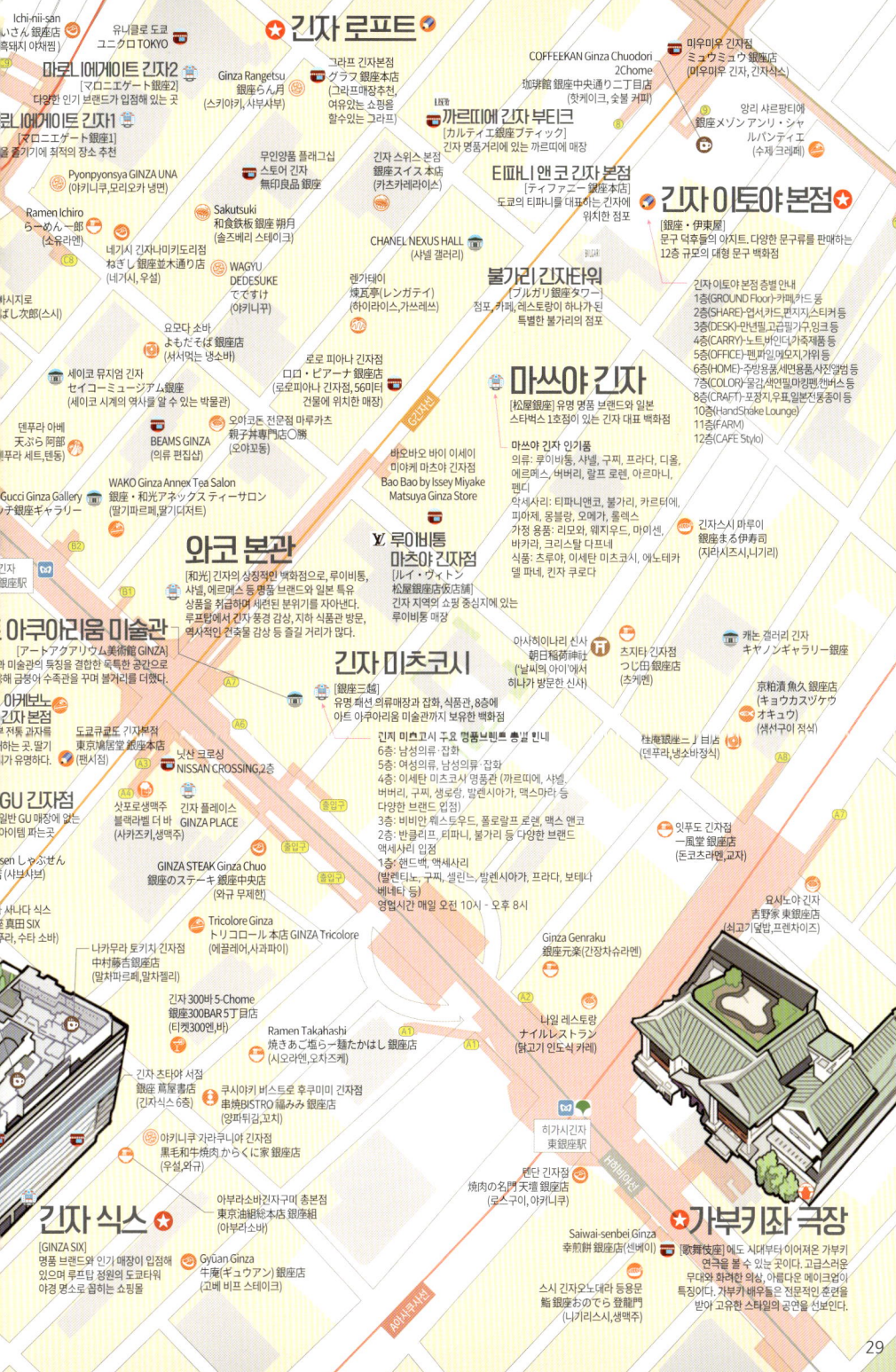

시부야 롯폰기 에비스

시부야 109

하치코 동상

시부야 논베이 요코초

시부야 히카리

시부야 스카이
[SHIBUYA SKY] 시부야 스크램블 스퀘어 위치한 360도 야외 전망대로, 건물 바로 앞 스크램블 교차로의 횡단보도를 건너는 인 보기 위한 최고의 장소다. 맨 꼭대기 층 실 해먹에 누워 하늘을 볼 수 있는 넓은 옥상

스타벅스 리저브 로스터리 도쿄
[スターバックスコーヒー STARBUCKS RESERVE(R) ROASTERY TOKYO]
스타벅스 매장 가운데 세계 최대 규모 매장. 전 세계 단 6개만 있는 지점으로 커피는 물론 주류도 맛볼 수 있음

시부야 스크램블 스퀘어
[渋谷スクランブルスクエア] 유명 베이커리 티에리 마르크스 등 디저트와 맛집, 쇼핑몰을 갖춘 쇼핑센터. 건물 바로 앞 스크램블 교차로의 횡단보도를 건너는 인파로 유명하다.

메구로 덴쿠 정원
[目黒天空庭園]
도심 속 공원,
도서관 방문 추천

다이칸야마 티사이트
[代官山 T-SITE]
400평 규모의 녹지 공간에 스타야 서점, 스타벅스, 베이커리, 완구점 등 편의 시설이 조성된 곳

아이비 플레이스
[IVY PLACE]
팬케이크, 마르게리따

하시엔다 델 시엘로
[Hacienda del cielo MODERN MEXICANO]
치폴레 잠바라야, 콥 샐러드

로그 로드 다이칸야

다이칸야마 어드레스
代官山アドレス・ディセ

Waho-An
NATURE Tokyo
(마사지)

다이칸야마 츠타야 서점
[代官山 蔦屋書店] 서적, 음악, 영화와 관련된 물품들을 구매할 수 있는 문화 공간

고항야 잇신
[ごはんや一芯 代官山]
영어, 일본어, 한국어 메뉴판이 있는 일본 가정식 레스토랑. 현금 결제만 가능

다이칸야마

에비스 신사
恵比寿神社

Sekiya Spaghetti 関谷スパゲティ
(일본식 스파게티, 명란 스파게티)

히비야 선

트래블러스 팩토리
[トラベラーズファクトリー]
여행자를 위한 노트를 판매하는 문구 잡화점

나카메구로

아후리 나카메구로점
AFURI 中目黒
(츠케멘, 시오라멘)

구 아사쿠라케 주
[旧朝倉家住宅]
관동대지진 이전에 지어진 2층 건물의 시대 저택과 전통 정원을 볼 수 있다

오니버스 커피 나카메구로점
(두유 라떼, 바나나 케이크)

나카메구로

나카메구로 공원
[中目黒公園]
연못, 놀이터, 농구장이 있는 강변 공원.
봄철 벚꽃 명소

메구로강 벚꽃길
[目黒川の桜並木]
봄철은 물론 산책로와 음식점이 잘 정비되어 있어 일 년 내내 인기 있는 강변 산책로

모리 타워
모리 미술관
롯폰기 힐스

모리 정원

롯폰기

야마타네 미술관
[山種美術館]
일본의 전통적인
풍속화, 유화 전시

⭐ 도쿄 시티뷰 & 스카이덱
[六本木ヒルズ展望台 東京シティビュー]
도쿄 타워와 레인보우 브릿지 등 주요 랜드마크를 감상할 수 있다. 카페나 레스토랑이 자리하고 있어 특별한 분위기에서 식사를 즐길 수 있다.

롯폰기 힐스 ⭐
일루미네이션

에비스 요코초
[恵比寿横丁] 실내에서 복작복작하게 앉아서 먹는 특유의 분위기. 직장인들이 2차로 찾는 술집이 모여있다

트뤼플 베이커리 히로오점
TruffleBAKERY広尾店
(화이트 트러플 소금빵)

H03 히로오

아리스가와노미야 기념 공원
[有栖川宮記念公園] 도심 속 우거진 숲, 연못이 있는 산책로 공원. 공원 내 동경도립중앙도서관이 있음

아후리
[AFURI 恵比寿]
유즈 시오라멘, 매운 츠케멘

사루타히코 커피 에비스
猿田彦珈琲 恵比寿本店

(리치 크림 라떼, 말차 라떼)

에비스

이타소바 카오리야 에비스점
板蕎麦 香り家 恵比寿店
(이타소바, 카모소바)

에비스 브루어리 도쿄
[EBISU BREWERY TOKYO]
이곳에만 있는 한정판
생맥주를 즐겨보자

 에비스 가든 플레이스
[恵比寿ガーデンプレイス]
삿포로 맥주 본사와 삿포로 맥주 가든,
에비스 가든 플레이스 타워 등이 함께 있는
대규모 복합 시설

에비스 가든 플레이스 타워 ⭐
[恵比寿ガーデンプレイス] 고층 레스토랑과
라운지에서 도쿄 전망을 볼 수 있으며, 바카라리
크리스탈 샹들리에, 크리스마스 시즌에는
일루미네이션이 인기있다.

도쿄도 사진미술관
東京都写真美術館

롯폰기 힐스 주변

21_21 디자인 사이트
[21_21 DESIGN SIGHT]
일본의 유명 건축가이자 타다오가 설계했으며, 건축적으로도 아름다운 공간과 현대적인 감각적임, 전시품을 볼 수 있는 미술관

미드타운 가든
ミッドタウン・ガーデン

하나카조 공원
檜町公園
(에도 에도가 있는 공원)

도쿄 미드타운
[東京ミッドタウン]
대형 백화점, 레스토랑, 산토리미술관 등 문화시설이 함께 있다. 분야에는 예전에 일본미에서 사물을 즐길 수 있는 이벤트가 열리며, 국제적인 브랜드 매장들로 구성된 소규모 명소로도 운영된다.

도쿄 미드타운 일루미네이션
도쿄 미드타운 일루미네이션은 매년 11월부터 12월까지 개최, 미드타운 건물과 정원 일루미네이션 장식이 화려하게 장식된다.

리츠칼튼 도쿄
ザ・リッツ・カールトン東京 H

산토리미술관
(サントリー美術館)
일본의 가고프레젠테이션에서 발견되는 현대미술 작품을 전시하는 세련된 미술관. 독특한 건축물과 아름다운 자연 환경 속에서 다양한 전시와 감상할 수 있다. 국제적으로 유명한 작가들의 작품뿐 아니라 신진 예술가들의 창작물도 전시 공연한다.

Le Pain Quotidien
(르빵쿼티디앙)

Fujifilm Photo History Museum
(사진의 역사를 알 수 있는 전시관)

스타벅스 리저브 도쿄미드타운점
スターバックス コーヒー 東京ミッドタウン店

FUJIFILM SQUARE
(후지필름 캐릭터 전시관)

Tanetsu
(오반자이)

츠루통탄 롯폰기
麺のつるとんたん 六本木店
우동집이, 면의 크기가 (세숫대야 크기)

Asahi Restaurant
朝日健壱
(그릇야키,이자카야)

Burlesque annex YAYAY
バーレスク 아넥스
(나이트클럽)

블루보틀카페 롯폰기
[ブルーボトルコーヒー 六本木カフェ]
식물정원 구역에서 편히 쉬어가기 좋은 카페

PST 롯폰기
PST roppongi
(햇카페)

Shonzui
鮮魚 Shonzui
(스테이크)

VILLA TOKYO 六本木
빌라 도쿄
(나이트클럽)

Taiyakiya Oyage OYOGE
(엔바바)

Dagashya
駄菓子屋
(사시미, 담부리)

국립 신미술관
[国立新美術館]
일본 및 세계 각국의 예술, 미술품을 감상할 수 있는 대규모 미술관. 높이 8m으로 압도하는 당당한 설치 미술관, 신선이머, 요리강이 잘 설 물 보고 자서 레스토랑이, 유명, 창고얼 추천

Ueshin Nogizaka
鳥貴 乃木坂店
(사시미, 이자카야)

L'ESSOR
(프렌치 와인 전문리)

Sutourou Annex
石頭楼アネックス
(참기름케)

Bird Man
bird 西野man
(닭꼬치)

KINKA sushi bar izakaya 六本木
(사시미, 초밥)

CUCINA ITALIANA ARIA 六本木
(카르보나라, 핫썸스테이크)

아쿠아 쿠치나 이탈리아나

롯폰기 힐스
MERCER BRUNCH ROPPONGI
マーサーブランチ
(파인다이닝 브런치카페)

Ajito Roppongi
東京バル Ajito 六本木
(루이그릴,참숯스테이크)

Enishi Yakitori Roppongi
六本木 焼き鳥 えにし
(사케, 꼬치)

이루카 도쿄 롯폰기
(人魚 TOKYO 六本木)
트리플소유카페, 유자소유미술관

이자카야 롯폰기 본점
マカリッス 롯폰기본점스타일릭,
전골야키가능)

외푸도 롯폰기
一風堂 六本木店

쿠페오 롯폰기
[커먹狂女子 秋炎 六本木交差店]
마제 소바, 붉닭 고지, 시코시코 딸 면모우 맛있는 야끼운영기 있는 주점

SUZU CAFE Roppongi
スズカフェ六本木
SUZUCAFE Roppongi
(맛카페-브런치카페)

코인이
하츠키엔(コウヒエン)
春華園
(셔브셔브 본점)
광천숯 본점

32

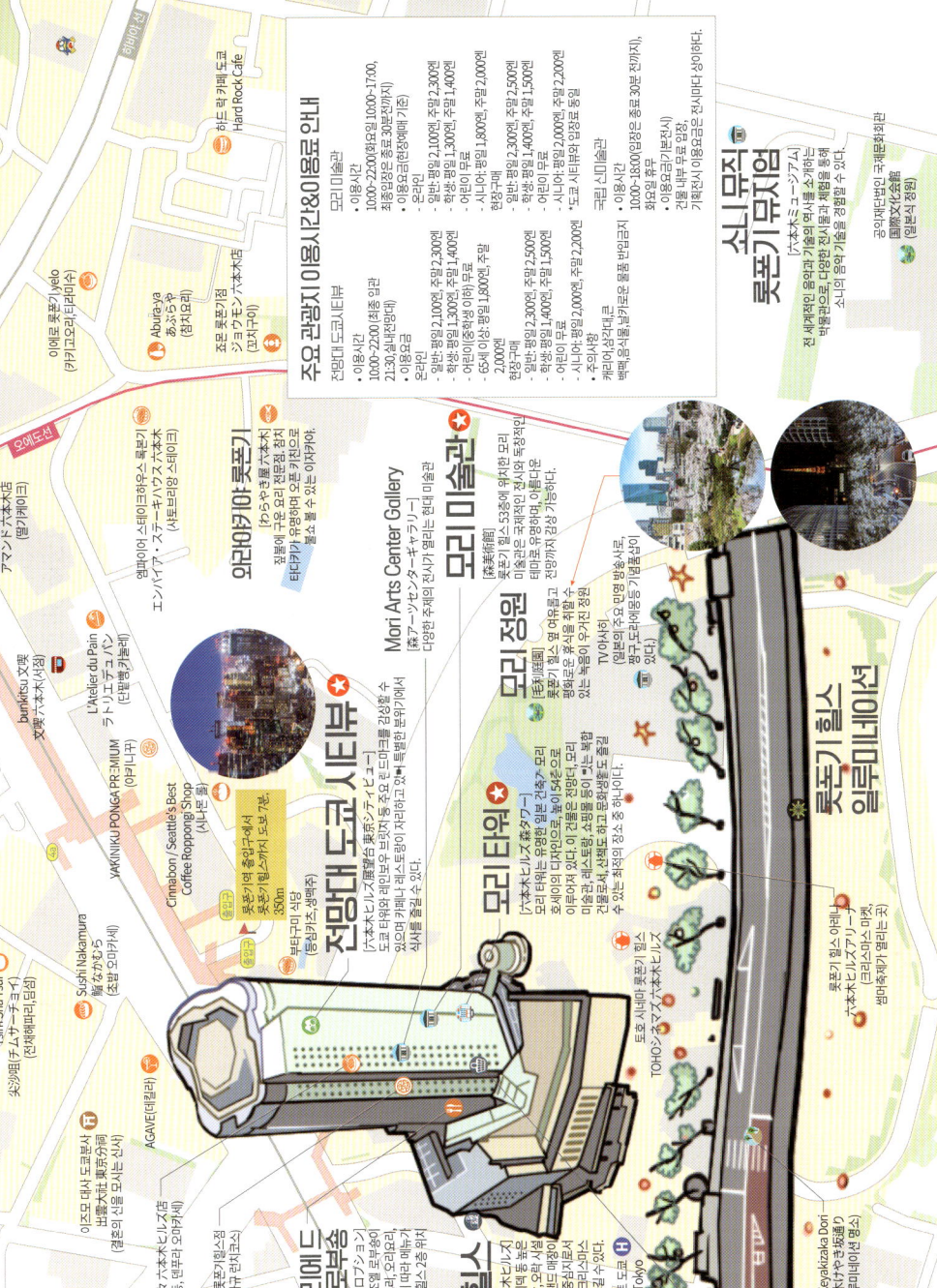

도쿄 남부 - 오다이바

도쿄 레인보우 브릿지 ★1
[レインボーブリッジ]
도쿄만을 가로지르는 대교로 저녁에는 화려한 조명으로 다리를 수놓는다.

다이바 공원
[都立台場公園]
레인보우 브릿지 야경을 볼 수 있는 공원. 맥주를 마시며 여유 만끽할 수 있는 곳

오다이바 해변
[Odaiba Beach]
넓은 모래사장과 산책로가 잘 되어 있는 인공해변

오다이바 해변공원 선착장에서 아사쿠사 가는 방법

1. 히미코 라인 (직행)
직행으로 운행하여 가장 빠르게 이동할 수 있는 노선
소요 시간: 약 50분
요금 (편도): 성인 기준 2,000엔 (어린이 1,000엔)

2. 호타루나 라인 (히노데 부두 경유)
지붕이 개방되는 갑판이 있어 야외에서 경치를 즐길 수 있는 것이 특징. 중간에 히노데 부두에 정박.
소요 시간: 약 60분
요금 (편도): 성인 기준 2,000엔 (어린이 1,000엔)

출발 시간이 불규칙하므로 방문 전 반드시 공식 홈페이지에서 최신 시간표를 확인 필수!

오다이바 해변 공원 ★3
[お台場海浜公園]
자유의 여신상과 야경이 아름다운 레인보우 브릿지가 있는 인공해변

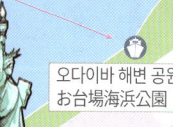

오다이바 자유의 여신상 ★2
[自由の女神像]
미국 뉴욕에 있는 자유의 여신상을 모티브로 한 레플리카

린카이 선

그랜드 닛코 도쿄 다이바
[グランドニッコー東京 台場]
다이바역과 가까우며 창문으로 레인보우 브릿지 및 오션뷰 조망 가능. 트리플룸, 쿼드룸 보유

시오카제 공원

다이바시티 도쿄 프라자
[ダイバーシティ東京 プラザ]
유명 브랜드 및 레스토랑, 엔터테인먼트 센터가 있는 8층 규모의 쇼핑몰

일본 과학 미래

1 도쿄 레인보우 브릿지

2 오다이바 자유의 여신상

⑤ 도요스 수산시장
[豊洲市場]
대규모 수산시장. 입점 가게들은 오후 3시면 폐점하므로 일찍 가는걸 추천

도요스 시장의 주요 구역
경매장을 구경할 수 있다.
수산 도매 시장: 참치, 연어 등 다양한 해산물을 도매
중간 도매 시장: 도매업자들이 구매한 해산물을 소매업자에게 판매하는 시장
소매 시장: 일반 대중들이 해산물을 구매할 수 있는 시장
음식점 거리: 신선한 해산물 요리를 맛볼 수 있는 다양한 음식점들이 입점
관광객 안내소: 토요스 시장에 대한 정보를 제공하고, 외국어 안내 서비스도 제공

아리아케 테니스 노모리

스몰 월드 TOKYO
[SMALL WORLDS Miniature Museum]
세계 각지 유명한 랜드마크를 미니어처로 재현해 놓은 대형 미니어처 테마파크

도쿄 가든 시어터
東京ガーデンシアター
(도내 최대 규모의 라이브 공연장)

도쿄 조이 폴리스
[東京ジョイポリス]
롤러코스터, VR체험관, 오락실이 있는 실내 테마파크. 외국인 할인이 있어서 현장에서 구매시 여권필요

 고쿠사이 텐지조

 아리아케

도쿄베이 아리아케 워싱턴호텔
東京ベイ有明ワシントンホテル

소테츠 그랜드 프레사 도쿄 베이 아리아케

오다이바

도쿄 텔레포트

심볼 프롬나드 공원
シンボルプロムナード公園

도쿄 빅사이트

 아오미

도쿄빅사이트 (도쿄국제전시장)
[東京ビッグサイト]
일본 최대의 컨벤션 센터. 도쿄 모터쇼, 코믹 마켓 등 다양한 행사가 열리는 곳.

고랜드 디스커버리 센터 도쿄
ゴランド・ディスカバリ・・センター東京
레고로 만든 테마파크

실물크기 유니콘 건담
実物大ユニコーンガンダム立像
실물 크기의 건담 모형. 밤에는 음악과 함께 조명쇼가 펼쳐지는 곳

후지 TV
[フジテレビ本社ビル]
후지 TV의 인기프로그램의 촬영장 세트를 둘러 볼 수 있고 캐릭터숍과 전망대가 유명한 방송국

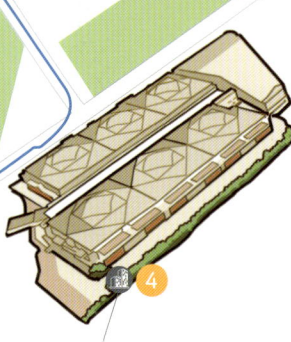

③ 오다이바 해변 공원

④ 도쿄빅사이트

도쿄 디즈니랜드&디즈니씨

도쿄디즈니랜드
東京ディズニーランド・ステーション駅

도보 8분 550m

출입구

캐리비안의 해적

미키 화단   월드 바자

실루엣 스튜디오

도쿄 디즈니랜드

토이 스테이션 22   홈 스토어 23

24   파티그라 기프트 13 25

어드벤처 블루 레스...

몬스터주식회사 라이드&고시크

몬스터 주식회사 컴퍼니 스토어

크리스탈 팰리스 레스토랑 11

스타 투어즈: 디 어드벤처스 컨티뉴

푸드코트 (피자,아이스크림,덮밥,팝콘)

Showbase (디즈니 캐릭터들의 공연장)

플래닛M (토이스토리 관련 기념품샵)

투모로우랜드 존

스티치 인카운터 (스티치와 이야기하며 진행되는 공연같은 어트랙션)

플라자 가든

스페이스 마운틴

신데...성

베이맥스의 해피 라이드 DPA 2

투모로우랜드 테라스 (미키마우스햄버거)

캐슬 캐러셀 (회전목마)

판타지 랜드 포레스트 시어터 (디즈니 캐릭터들의 뮤직하모니)

Village Shoppes (미녀와 야수 관련된 기념품샵)

피노키오의 모험여행

퀸 오브 하트 뱅큇...

판타지랜드 존

DPA 1

미녀와 야수 '마법 이야기'

Beast Castle (야수의 성)

툰타운 존

가젯의 고 코스터 (아이용 롤러코스터)

푸 코너

26   잇츠 스몰 울...

미키 하우스와 미트 미키 (미키를 만날 수 있는 장소)

DPA SP 6

안나와 엘사의 프로즌 저니

로저래빗의 카툰스핀 (빙글 도는 열차를 타고 로저래빗을 구하러 가는 어트랙션)

4 40th 푸의 허니

서로 이동 불가능

Tokyo DisneySea Fantasy Springs Hotel

DPA SP 7

라푼젤의 숲 (라푼젤의 랜턴 페스티벌)

자스민의 플라잉카펫

레이징 스피리츠

DPA SP 8

피터팬의 네버랜드

베이사이드・ステーション駅

디즈니리조트 라인 선

디즈니씨 트랜짓 스티머라인 (증기선을 타고 여행하는 어트랙션)

인디아나 존 어드벤처

에리얼 플레이그라운...

로스트...

델타

미키&프렌즈 그리팅트레일

도쿄 디즈니씨

니모&프렌... 시라이...

도쿄베이 마이하마 호텔 퍼스트리조트 東京ベイ舞浜ホテル ファーストリゾート (베이사이드 모노레일역에서 도보 10분, 도쿄 디즈니랜드 입구에서 2km, 도쿄 디즈니씨에서 3km 거리에 위치) H

도쿄 베이 마이하마 호텔 東京ベイ舞浜ホテル (깔끔한 원형 건물, 도쿄 디즈니 리조트 테마파크에서 4km, 카사이 린카이 공원에서 7km 거리에 위치) H

그랜드 닛코 도쿄베이 마이하마 グランドニッコー東京ベイ舞浜 (도쿄만이 내려다보이는 호텔, 도쿄 디즈니랜드에서 1km, 마이하마역에서 2km 거리에 위치) H

힐튼 도쿄 베이 ヒルトン東京ベイ (파스텔 동화 테마로 꾸민 호텔, 베이사이드 모노레일역에서 도보로 7분, 도쿄 디즈니랜드에서 2km, 카사이 린카이 수족관에서 4km 거리에 위치) H

호텔 오쿠라 도쿄 베이 ホテルオークラ東京ベイ (남부 유럽식 디자인 도쿄 디즈니 리조트와 인접, 베어사이드 모노레일역에서 도보 10분거리) H

쉐라톤 그랜드 도쿄 베이 호텔 シェラトン・グランデ・トーキョーベイ・ホテル (도쿄 디즈니 리조트에서 2km, 익스피어러 쇼핑 및 엔터테인먼트 단지에서 3km 거리에 위치) H

디즈니랜드&디즈니씨 입장권

종류	개요	가격	대상시설
입장권	모든 어트랙션 이용 가능, 재입장 가능, QR코드 필수	성인 7,900~10,900엔 / 중고생 6,600~9,000엔 / 아동 4,700~5,600엔 / 유아 무료	전 어트랙션, 시설
DPA (유료)	미리 시간 예약, 유료 서비스	어트랙션 1,500~2,000엔 / 퍼레이드 2,500엔	안나 엘사, 라푼젤, 피터팬, 소링, 토이스토리, 타워오브테러 등
프라이오리티 패스 SP	무료, DPA와 유사한 기능	무료	인디아나존스, 니모&프렌즈, 터틀 토크, 해저2만마일 등
스탠바이 패스	기념품샵·게임 시설 대기 줄 가능, 무료	무료	기념품숍, 체험형 부스, 안나 엘사 어트랙션 등
엔트리 리퀘스트	공연 좌석 추첨, 당첨 시 무료 관람	무료	빅밴드비트, 잼버리 미키 등

도쿄 디즈니랜드 ↔ 도쿄 디즈니씨 이동 방법

두 파크를 오갈 때는 디즈니 리조트 라인 (Disney Resort Line) 모노레일을 이용하는 것이 가장 편리하다.
이 모노레일은 두 파크와 리조트 내 여러 호텔을 순회하며, 이동이 매우 간편!

요금(편도): 성인 260엔, 어린이 150엔
운행 간격: 보통 4분에서 13분 간격으로 운행
운행 시간: 첫차는 오전 6시 3분, 막차는 오후 11시 30분 (리조트 게이트웨이 스테이션 기준)
소요 시간: 전체 구간을 한 바퀴 순환하는 데 약 13분 소요

하코네 교통약도

에이든 여행지도
SAMPLE BOOK

성품 영상보기

지도 목록 보기

제품구성

예시) 에이든 파리 여[행]

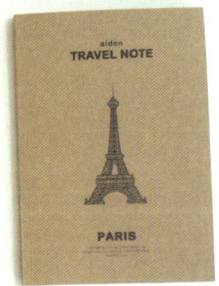

01 에이든 여행지도의 대부분 구성은 좌측에 보는 바와 같이 **지도 2장(또는 한장), 맵북, 트래블노트, 깃발스티커** 로 이루어져 있습니다.

PACKAGE

COMPOSITION

1. 개선문부터 생 루이섬까지, 여행지, 맛집 등 파리 주요지역을 담은 상세 지도 1장(A1 접지)
2. 파리 1구부터 20구까지 한 눈에 볼 수 있게 파리 전체를 담은 지도 1장(A1 접지)
3. 책 형태로 볼 수 있도록 지도를 여러 구도로 잘라내서 만든 맵북 1권(A5 사이즈)
4. 파리 여행 계획을 세울 수 있도록 만들어진 체크리스트와 백지도를 담은 트래블노트 1권
5. 가야 할 곳 또는 가본 곳을 표시 할 수 있는 깃발 스티커 100개 들이 1세트
6. 1번부터 5번까지 제품들을 깔끔하고 안전하게 담을 수 있는 패키지 케이스

국내를 비롯하여 해외의 여행지도를 제작하는 출판사 타블라라사의 브랜드 "에이든 여행지도" 입니다.

저희 지도는 길 찾는 용도로 만들어진 지도가 아닙니다. 길은 구글지도나 네이버 지도로 찾으시고 **여행지를 전체적으로 살펴보며 계획을 세울 때 그때 활용할 수 있는 지도를 제작했습니다.** 조금 복잡하더라도 요약된 많은 정보를 제공할 수 있다면, 가이드북이나 네이버를 검색하지 않더라도 지도 한 장으로 준비 없이 여행을 떠날 수 있을 것이기 때문입니다.

특정 도시로 여행을 떠나기 전에 어디를 갈지, 뭘 먹을지, 어떤 재미난 액티비티를 할지 찾아보시고 지도에 메모해 두시잖아요? **미리 수천시간 노력해서 다 찾아놓았다!** 라고 생각하시면 될것 같습니다.

아날로그라고 무시할게 아닌게, 이렇게 방수되는 종이로 아무렇게나 접어서 주머니에 넣을 수 있는 40인치나 되는 플렉시블한 디스플레이는 현재 없습니다! 또한 당분간 개발되지도 못합니다.

"아날로그는 나쁘거나 불편한 것이 아닙니다"

에이든은 디지털 기술을 이용해 최고의 아날로그 여행지도를 만들고 있는 중이며 여행자들의 의견이 넘쳐나는 살아있는 플랫폼으로 가기위해 노력하고 있습니다. 한구인의 특성이 살아 있는 이 지도로 해외시장으로 진출하는 그 과정을 응원해주세요!

02 이렇게 좋은 여행지도 누가 만들었을까?

17년 경력의 여행콘텐츠 전문가 그룹 **에이든**

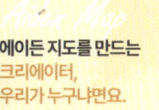

에이든 지도를 만드는 크리에이터, 우리가 누구냐면요.

지도 제작 전문가 '이정기'

여행 콘텐츠 전문가 '홍경진'

콘텐츠 어반젤리스트 '윤선영'

지도 베이스 전문가 '김수경'

2022 교보문고 여행부문 연간 베스트셀러 1위, 예스24 올해의책 100 선정

2020 한국관광공사 우수관광벤처 최우수상

2020 한국관광공사 관광벤처 선정, 관광크라우드펀딩 은상

'지도 전문' 에이든 여행지도가 특별한 이유!

신두리해안사구
우리나라 최대 규모의 해안사구 지역, 바닷가를 따라 3.4Km 가량 사구가 형성.
이곳은 원형이 잘 보존되어 있어 생태보전 지역으로 지정 해안 모래 알갱이가 너무 곱고, 바다 해안의 높이가 다른 해변보다도 더 완만해 독특하고 신기한 느낌의 해변

천리포수목원
푸른 눈의 한국인 故 민병갈 설립자가 40여년에 걸쳐 만들어낸 17만평에 이르는 1세대 수목원

울도
소난시노 — 도비항 — 카페
벌천포해수욕장
왜목마 — 일출과 일몰이 안되는 장소
꾸지나무골해수욕장
만대항
추천음식 — 당진 꽃게장
학암포해수욕장
사목해수욕장
대산읍
구례포해수욕장
학암포 — 해안절벽길
웅도참수교(하루에 — 두번 멀리는 다리)
삼선산 수목원 — 숲놀이터 — 당진향교 — 빙빙반점
신두리 해수욕장
2코스 고파도 — 태안솔향기길
웅도
추천음식 — 서산 푸주미
장춘닭개장 — 카페로우
카페49
3코스
지곡면
농사시 — 명륜수목원 — 석탑
백리포해수욕장
샌드힐카페 — 원북면
4코스
중앙 소공원
유기방 가옥 — 면천읍
천리포해수욕장
유류피해 극복기념관
5코스 산장가든 — (현압맛집) — 냉천골
호수공원 카페거리 — 카페사모니
서산불고기 — 백반의신
만리포해수욕장
소원면
풍전뜨락 — (어죽) — 푸시랑뽀지미
문수사(왕벚꽃) — 서산시 — 마애여래 — 게심사 — (왕검벚) — 용현자연
어은돌해수욕장 — 파도리 — 해식동굴
바다풍경카페
태안군
도비산 전망대
파도리해수욕장 — 수제치즈버거
부석사 근처에 있는 해돋이와 해넘이를 동시에 볼 수 있는 도비산의 전망대
김기현 가옥(한옥체험) — 해미다 — 정순왕후 생가 — 휴양림
갈음이해수욕장 — (깨끗한 바닷물)
인지면
류방택 천문기상 과학관
해미읍성 — 카페 모월 — 해미우시장
가의도
팜카밀레 — 27
왜구를 방어하기 위해 세종 때 축조된 충청지역 육군 총지휘본부 터
옹도
청산수목원 — 서산 간월도 3,4 간월 — 서산버드랜드
파안캠프 — 고야마 — 홍주 —
안흥나래길 — 용장포 오션캠핑장 — 해바라기 올레정원
영양굴밥 — 영양맛집
태안 안흥 유람선
몽산포해변 — 넓은 갯벌
네이처월드 — (청색도래지) — 갈못식당(동식)
청춘수안 — 간월암 — 카페하리 — 속초에덴힐즈 박물관
백사장항
안면도주리기박물관 — 곰섬오토캠프장 — 해상안미로 — 트레블브레이크커피
나문재 휴양지 — 나문재 카페
궁리항
힐링파크 — 에덴힐즈
봄에는 맛있는 꽃게를 신선하게 맛볼 수 있고, 가을이면 바로잡은 대하를 맛볼 수 있는 수산물 시장과 음식점이 많다.
안면해수욕장 — 77 — 안면암
속동 전망대 — 결성갈국수
추천음식 — 남당리 대하, 새조개
남당항
쇼핑정 본사 — 딴뚝나무식당 — 시골밥상
천북굴단지 — 매년 12월 '천북 굴 축제'
신선한 대하와 새조개를 먹으로 시간 내서 찾아갈 만 한 곳
안면도 수목원
비츠 카페
우유창고 천북 폐목장 — 청보리밭 — 김화진
코리아 플라워파크(꽃축제)
추천음식 — 안면도 꽃게
꽃지해변 — 태안 안면읍에 있는 5km에 이르는 끝내주는 낙조 전망 해변, 백사장을 비롯한 해당화가 만발해 '꽃지'라는 이름을 갖게 됨
맨삽지항성리공 — 용발자국화석 — 정보리
오산사가 (서해가는)
안면도
운여해변
태양사신기 세트장
고남패총박물관 — 효자도 — 바이더미
보경중성수영성
남포읍 — 명훌
바람아래해변 — 장고도 — 고대도
순교지 — 오천향교 — 성주사지
삽시도둘레길 — 원산도 — 대천항 — 김기내사
안면도 자연휴양림
100년 내외의 소나무로 가득한 국내 유일의 소나무 천연림
대천해수욕장 — 스카이바이크 — 대천 팔봉진 — 코랄커피 — 담쟁이 도까스 — 자연휴양림
외연도 상록수림
대천항에서 1시간 30분가량 걸리는 보령 외연도의 상록수림 20m도 넘는 나무를 비롯하여 신비한 자연의 숲을 있는 그대로 볼 수 있는 곳, 2박 추천!
저두해수욕장
삽시도
호도
녹도
보령머드축제 — 대천해수욕장
풍금꽃게장 — 풍금꽃게장 (게요제)
추천음식 — 대천항 꽃게
죽도 상화원(산책, 일몰) — 용두해수욕장
외연도
대천
횡견도
무창포해수욕장
매월 음력 보름날과 그믐날 천포 해변에서 석대도까지 1.5km 바닷길이 열린다.
무창포타워 — 벨라코스타 — 보령
추천음식 — 보령 쭈꾸미 — 천북 굴
어청도
춘장대 해변
해송과 아카시아나무
춘장대 오토캠핑장 — 15 — 월하성 — 어촌체험
중국 산동반도와 300km정도의 거리로 중국과 가까운 영해
우럭, 해삼, 전복이 많이 잡히는데 특히 자연산 우럭으로 잡은 찜이 유명
마량리 동백나무 숲
종원항(꽃게, 쭈꾸미, 직판장) — 서산회관 (쭈꾸미, 꽃게탕)
비인해변
어청도
연도 — 서천군
추천음식 — 서천 꽃게, 쭈꾸미
서천 금빛노을 오션
근대역사박물관 / 개야도
근대건축관.2 — 근대미술관.3 — 해양테마공원.4
장항송림산림욕장(소)
아리 장항스카이 씨큐러
유부도 — 대극

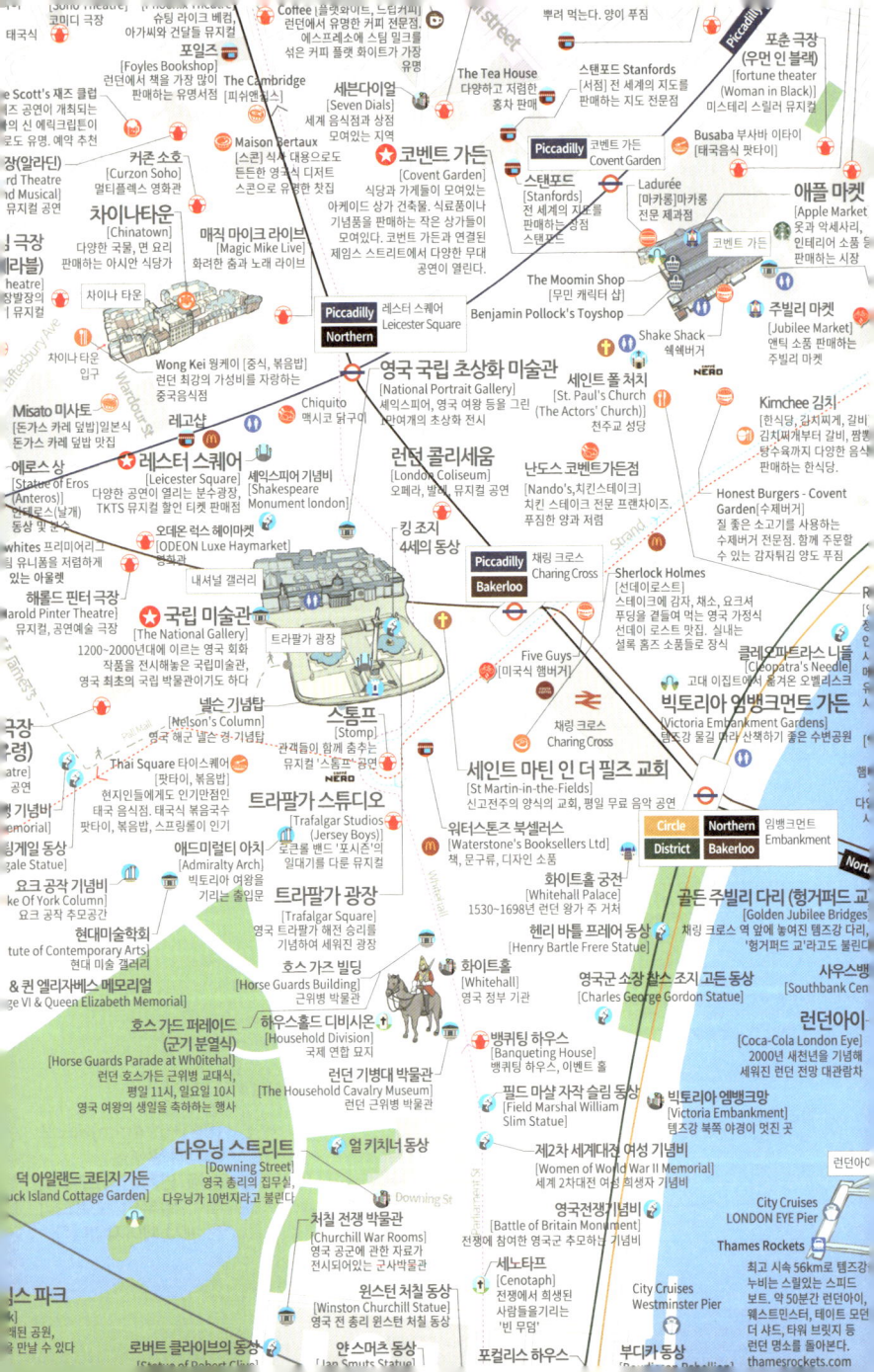

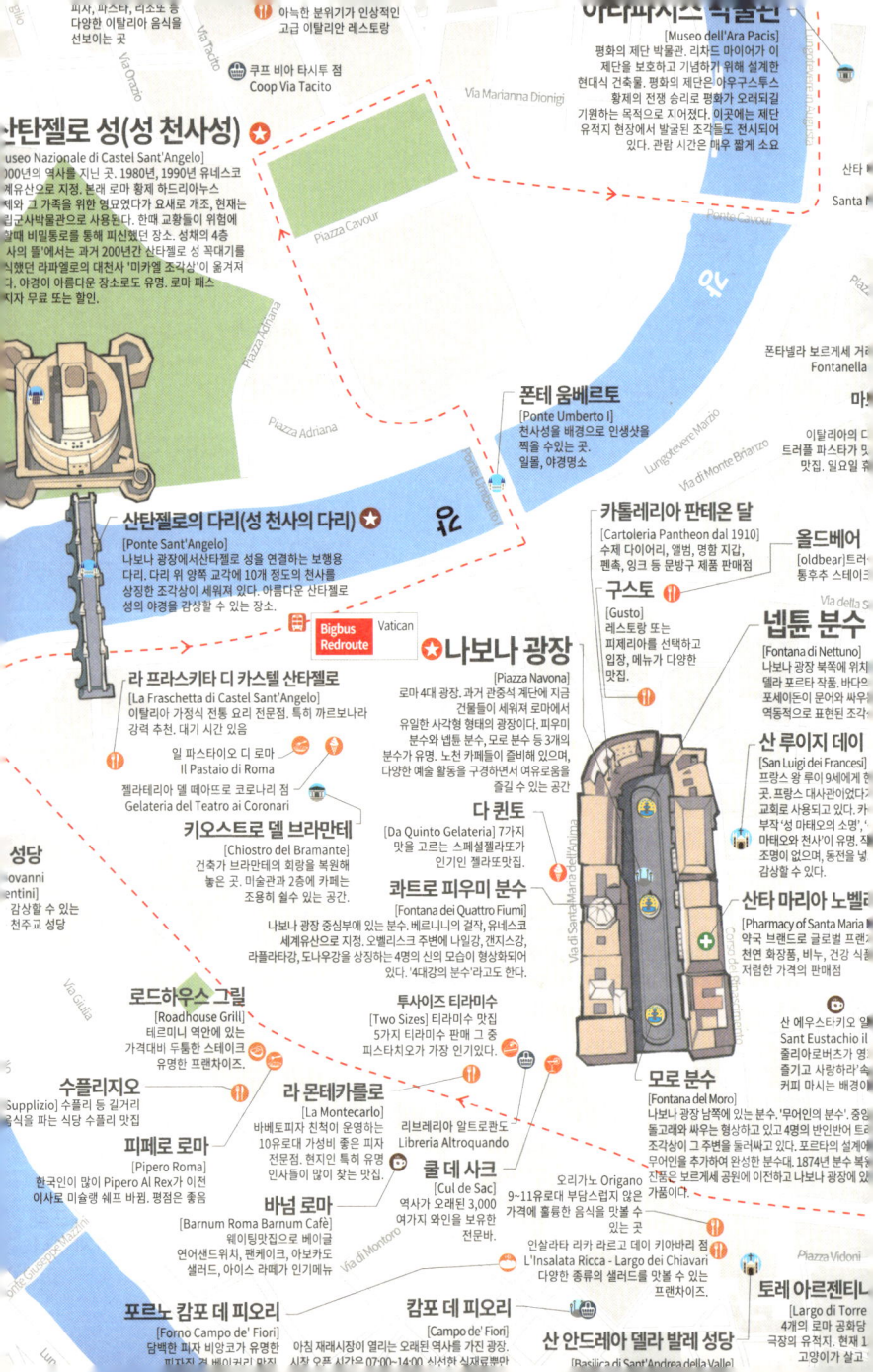

알프레도
[Ristorante Alfredo]
전세계적으로 사랑받는 알프레도 크림소스를 개발한 원조 식당.

칸티나 벨시아나
[Cantina Belsiana]
비교적 합리적인 가격의 와인과 가지 라자냐가 맛있는 곳.

페라리 스토어 Ferrari Store

★ 콘도티 거리
[Via Condotti]
스페인 광장에서 시작하는 명품샵이 모여 있는 거리. 많은 명품 브랜드들이 입점. 골목 사이사이에는 기념품과 다양한 상점이 있어 구경하는 재미가 있다. 여름은 7~8월, 겨울은 1~2월 명품 세일 기간.

★ 코르소 거리
[Via del Corso]
베네치아 광장부터 포폴로광장까지 로마의 중심을 관통하는 최대 번화가. 명품거리 콘도티 거리와 교차. 디즈니스토어, 망고, 자라 등 중저가 브랜드와 편집샵, 로컬 브랜드 등이 입점, 이탈리아의 패션 트렌드를 엿볼 수 있는 거리. 'SALDI(Sale)'는 보통 20~50% 할인, 상품을 저렴하게 득템할 기회!

지올리티 알 비카리오 점 ★
[Giolitti Al Vicario]
로마 젤라또 3대 맛집, 4대째 젤라떼리아 운영하는 곳. 쌀맛 젤라또 추천

클라크스 로마 판테온
[Clarks Roma Pantheon]
부츠, 브로그 슈즈, 샌들, 레스 등은 데브트 부츠 등 다양한 신발을 판매하는 상점

타짜 도로
[La Casa Del Caffè Tazza D'oro]
한국에도 지점이 있는 전 세계적으로 로스팅 커피로 유명한 카페.

이코노 이탈리아
[IKONO]
로마 이코노 이탈리아 올림픽 전시회 9개의 객실로 이루어져있고, 그 불꽃놀이 인기있다.

L'Olfattorio -Bar à Parfums
돌체 앤 가바나
Dolce&Gabbana
Via della Croce

스페인 광장
[Piazza di Spagna]
로마에서 제일 유명한 광장. 17세기 스페인 영사관이 있었던 곳. '바르카치아 분수', '스페인 계단', '트리니타 데이 몬티 성당' 등 볼거리가 가득한 장소. '로마의 휴일' 등 많은 영화의 배경이 되기도 했다. 광장에서 명품쇼핑 거리 콘도티 거리와 이어져 있다.

디즈니 스토어
[Disney Store]
디즈니 캐릭터들의 피규어, 인형, 옷 등 판매하는 디즈니 장난감 가게

라이프 식당
[Ristorante Life]
랍스타 파스타, 라비올리, 트러플 스테이크가 유명한 고급 레스토랑. 사전 예약 필수

벤키
[Venchi Cioccolato e Gelato]
로마 젤라또 5대 맛집, 초콜렛맛 젤라또 추천.

빠네 에 살라미
[Pane e Salame]
5유로대 저렴하고 다양한 파니니를 맛볼 수 있는 곳. 점심시간에는 대기 시간 있음

★ 트레비 분수
[Fontana di Trevi]
세갈래 길(Trevia)이 합쳐진다는 뜻을 가진 분수. 1980년, 1990년 유네스코 세계유산으로 지정. 1435년 건축 후 오랜시간 개축과 증축을 거쳐 1762년 완공된 바로크 양식의 최고 걸작. 개선문을 본뜬 벽화 앞에 대양의 신 오케아누스가 가운데 서있고, 양 옆에는 반년반마의 바다의 신 트리톤이 전차를 끄는 모습이 웅장하게 조각되어 있다. 지하철 A선 Barberini 역에서 걸어서 5분. 영화 '로마의 휴일' 촬영 장소.

산티냐조 디 로욜라 성당
[Chiesa di Sant'Ignazio di Loyola]
예수회 설립자, 종교 개혁의 대향아 이그나티우스를 위해 지어진 성당. 실제보다 3배 높게 보이는 착시효과가 뛰어난 '산티냐조 디 로욜라의 영광' 천장 프레스코화가 유명.

바빙톤스 티 룸
[BABINGTON'S TEA ROOM]
다채로운 블렌딩으로 유명한 고급 영국식 찻집.

TreCaffe - Bistro
[Trecaffè - Via dei due Macelli]
크루아상, 카푸치노가 인기 있다. 아이스아메리카노를 파는 곳

리나센테 로마 트리토네
[Rinascente Roma Tritone]
150년 전통의 럭셔리간 백화점. 구찌, 루이비통, 발렌티노 등 각종 명품 브랜드가 모여 있으며 지하에는 매장과 편의시설 입점 복합 쇼핑몰 7층 루프탑이 인스타 인기장소.

포레오 FOREO

리스토란테 피자 치로 메르세데 거리 점
[Ristorante Pizza Ciro Mercede]
세수대야 파스타로 유명한 맛집. 특히 오일 파스타인 링귀네 알라 치로 추천

일 키안티
[Il Chianti Vineria]
다양한 와인, 토스카나 지역의 음식, 티라미수가 일품인 곳.

피자 인 트레비
[Pizza in Trevi]
트레비분수 앞 피자집 버팔로피자, 파스타

Borsalino
오스테리아 바르
[Osteria]
품질 좋은 요리를 다양

★ 에이든 로마 여행지도

[Ristorante Crispi 19]
럭셔리한 해풍 고급 레스토랑 지중해풍 고급 레스토랑

트리토
[Fontana d
바르베리니 광장을 상징하는 분수. 바르베리니 교황을 위해 만들어진 베르니니의 분수에서 교황과 성당의, 성 베드로 바르베리니 상징 물벌 문장을 찾아볼

댓츠 아모르
[That's Amore]
현지인과 외국인 관광객에 인기 있는 양이 많은 맛집.

퀴리날레 궁전
[Palazzo del Quirinale]
로마의 7개 언덕 중 가장 높은 퀴리날레 언덕에 세워진 오래된 궁전. 현재 이탈리아 대통령 관저로 사용. 매일 오후 3시 근위병 교대식을 관람할 수 있다. 내부는 투어를 통해 관람 가능

퀴리날레 박물관
[Scuderie del Quirinale]
퀴리날레 궁전 마구간으로 사용되던 곳. 현재 다양한 예술 작품 전시회가 열린다. 로마 전경을 볼 수 있는 가장 높은 뷰포인트.

베네치아 궁전
[Palazzo di Venezia]

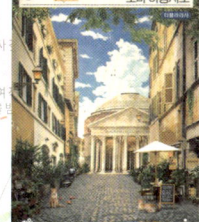

이 페이지는 본구성인 A1사이즈 (841*594mm)지도 포스터의 일부를 실제 인쇄사이즈에 맞추어 일부만 보여드리는 예시 페이지입니다.

트라이
[Foro di Tr

판테온
[Pantheon] 로마 고대 건축의 백미. 1980년, 1990년 유네스코 세계유산으로 지정. 기원전 27년 아그리파가 로마의 모든 신들을 위한 신전(일명 만신전)으로 건설 후 화재로 125년 재건. 19세기까지 '산타 마리아 로툰다'로 사용된 덕분에 이교도라는 낙인 찍힌 원형이 잘 보존된 건축물. 철근을 사용하지 않는 세계에서 가장 큰 콘크리트 돔이다. 태양광 형상화한 직경 9m에 하는 천장 개구부(Oculus)는 자연 채광으로 조명 이상, 통풍의 기능도 수행한다. 내부에는 비트리오 엠마누엘레2세, 라파엘로 및 유명인사의 납골당이 있다. 무료 입장

일 제수 성당
[Chiesa del Gesù]
정식 명칭은 예수의 신성한 이름 교회, 로마 최초의 예수회 본부. 전세계 예수회 성당의 건축학적 모델이 된 곳이다. 이곳의 천장 프레스코화는 화려함의 정점으로

산타 마리아 소프라 미네르
[Chiesa di Santa Maria Sopra Minerva]
로마에서 보기 힘든 고딕 건축 양식의 성당 미네르바 여신 사원의 유적지가 있었던 곳. 카네리나 등 유명 인사들의 무덤이 있는 장소이다. 미켈란젤로의 '십자가를 든 예수 그리스도', 베르니니의 '마리아 라자를 위한 기념물'과 같은 명품 예술품을 소장하고 미술관이라 불린다. 갈릴레오가 종교 재판 장소로도 유명.

피냐 분수
Fontana della Pigna

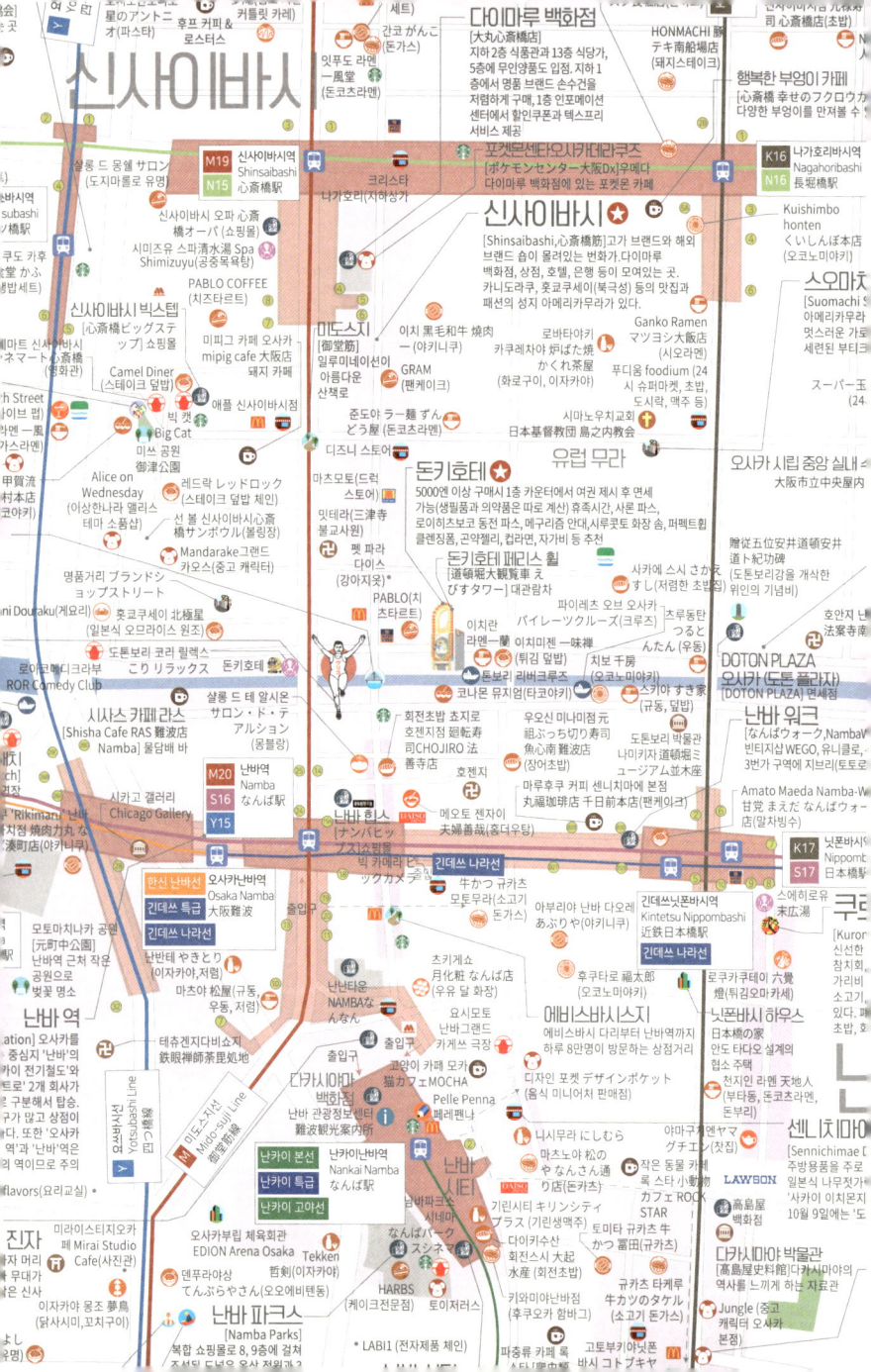

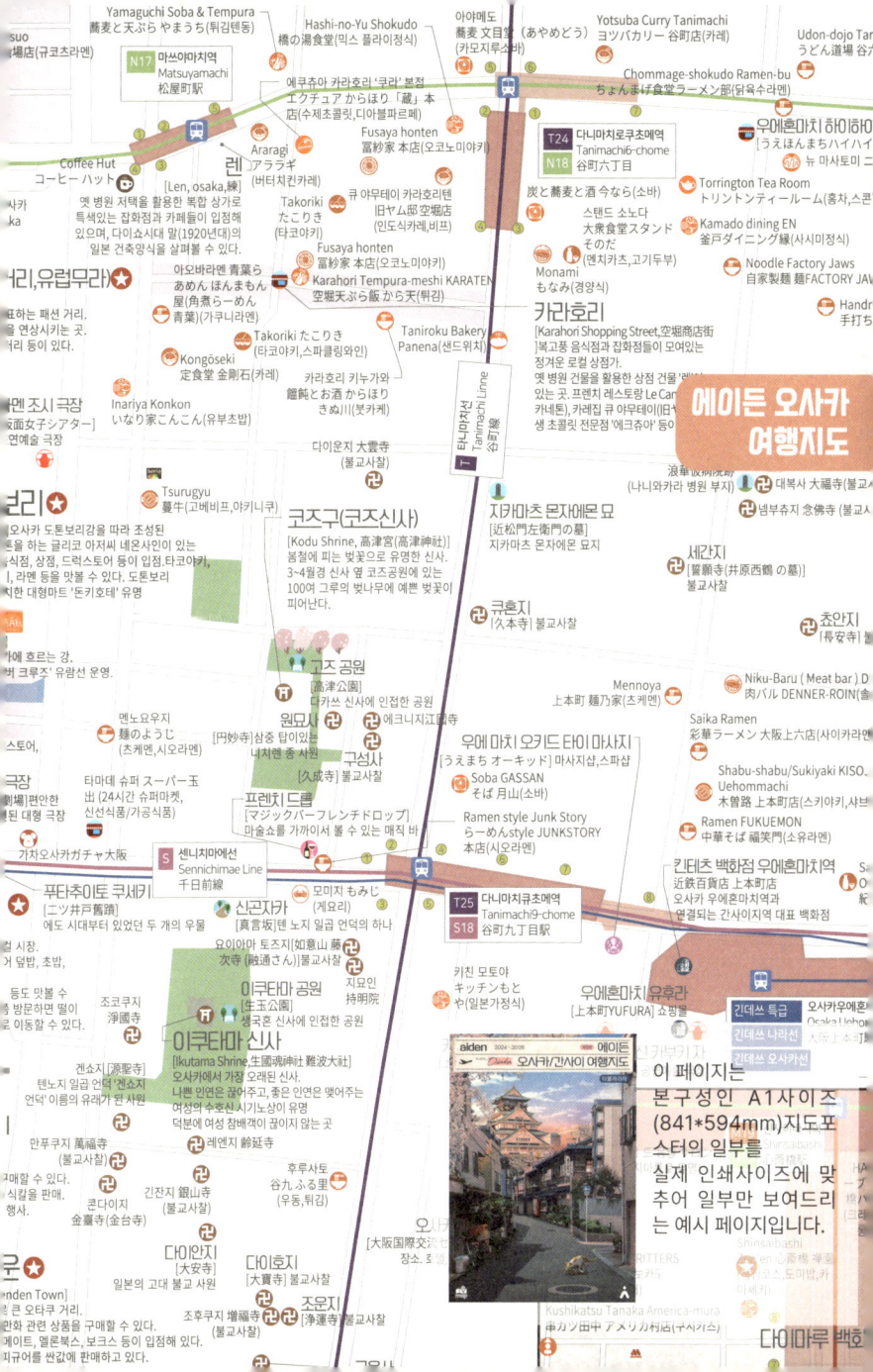

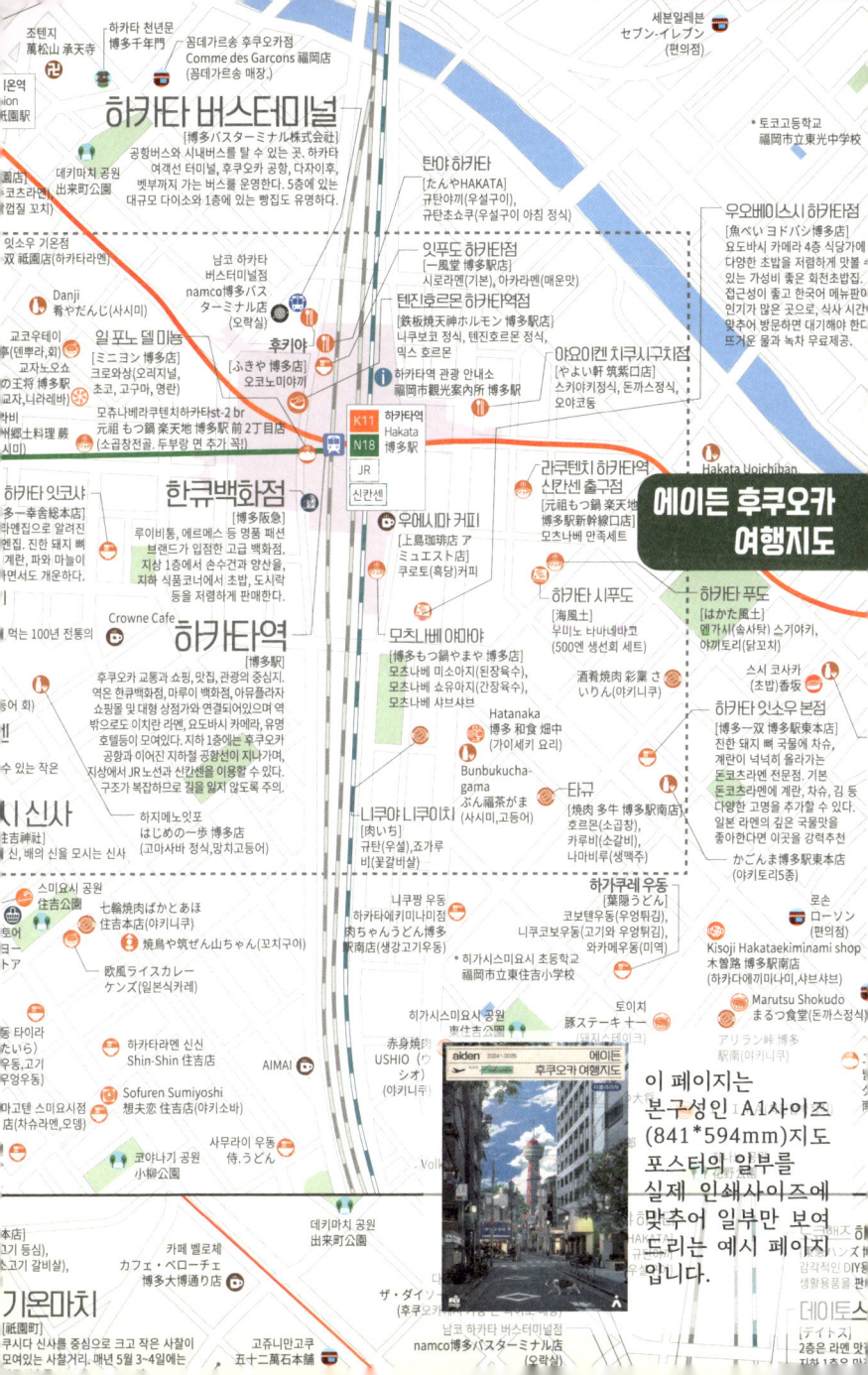

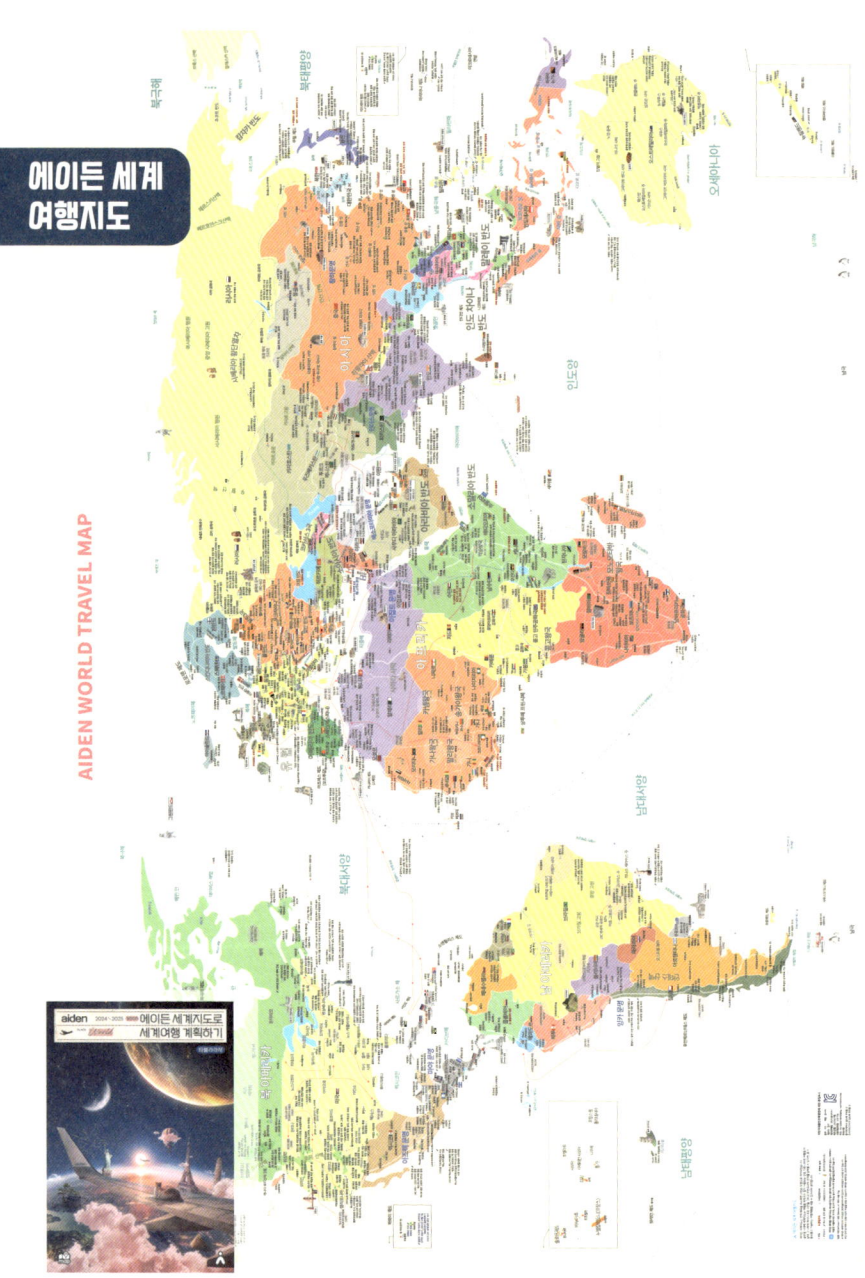

에이튼 유럽 여행지도

두번째 해외 여행이라면
에이든 여행지도 시리즈

국내
전국
제주
서울
역사
캠핑

유럽
이탈리아 중북부
포르투갈
바르셀로나
로마
파리
런던
유럽

아시아
오사카
도쿄
후쿠오카
다낭
홍콩
마카오
타이베이
방콕

미주 및 기타
뉴욕
괌
사이판
세계

In case of loss, please return to

....

....

....

As a reward

....

PREVIEW
CHECK LIST - 도쿄 전체

TO DO LIST

- ☐ 고쿄 히가시 교엔 산책하기
- ☐ 기모노 빌러 아사쿠사 신사에서 사진찍기
- ☐ 도쿄 도청 전망대 야경 보기
- ☐ 도쿄 라멘 스트리트에서 라멘먹기
- ☐ 도쿄 스카이트리 야경 보기
- ☐ 도쿄 시티뷰 & 스카이덱에서 도쿄타워 야경 보기
- ☐ 디즈랜드 신데렐라성 배경으로 사진 찍기
- ☐ 롯폰기 힐스 일루미네이션 구경하기
- ☐ 롯폰기 힐스 전망대 올라가기
- ☐ 마루젠 마루노우치 서점 구경하기
- ☐ 메구로 강 벚꽃 구경하기
- ☐ 메이지 신궁 산책하기
- ☐ 모리 타워 전망대 야경 보기
- ☐ 선샤인 60 전망대 야경 보기
- ☐ 선샤인 수족관 구경하기
- ☐ 센소지에서 운세 뽑기
- ☐ 스미다 수족관 펭귄 보기
- ☐ 스미다가와 불꽃놀이 구경 하기
- ☐ 시부야 스카이 전망대 야경 보기
- ☐ 시부야 스카이에서 스크램블 스퀘어 횡단보도 구경 하기
- ☐ 신주쿠 교엔 산책하기
- ☐ 아사히 맥주빌딩 스카이라운지 가보기
- ☐ 우에노 동물원 판다 보기
- ☐ 우에노공원 벚꽃 구경 하기
- ☐ 조조지에서 도쿄타워 배경으로 사진 찍기
- ☐ 캇파바시 도구 거리 주방용품 쇼핑하기
- ☐ 진구가이엔 불꽃놀이 축제 구경 하기
- ☐ 캣 스트리트 걸어보기
- ☐ 커비 카페 가보기
- ☐ 타케시타 거리 걸어보기
- ☐ 포켓몬 센터 구경하기
- ☐ 하라주쿠&오모테산도 쇼핑하기
- ☐ 해리포터 스튜디오 가보기

LANDMARK LIST

- ☐ 가부키초
- ☐ 간다 묘진
- ☐ 고이시카와 고라쿠엔
- ☐ 고질라 헤드
- ☐ 고쿄 가이엔
- ☐ 고쿄 히가시 교엔
- ☐ 국립 서양 미술관
- ☐ 깃테 도쿄
- ☐ 나카미세도리
- ☐ 너의 이름은 계단
- ☐ 네즈 미술관
- ☐ 네즈 신사
- ☐ 다케시타 거리
- ☐ 도쿄 도청 전망대
- ☐ 도쿄 디즈니랜드
- ☐ 도쿄 디즈니씨
- ☐ 도쿄 라멘 스트리트
- ☐ 도쿄 미드타운
- ☐ 도쿄 소라마치
- ☐ 도쿄 스카이트리
- ☐ 도쿄 시티뷰 & 스카이덱
- ☐ 도쿄 일루미네이션
- ☐ 도쿄 캐릭터스트리트
- ☐ 도쿄 해리포터 스튜디오
- ☐ 도쿄역 일번가
- ☐ 롯폰기 힐스
- ☐ 리쿠기엔
- ☐ 메구로 강
- ☐ 메이드리밍 아키하바라 본점
- ☐ 메이지 신궁
- ☐ 모리 미술관
- ☐ 모리 정원
- ☐ 모리 타워
- ☐ 선샤인 60 전망대
- ☐ 선샤인 수족관
- ☐ 선샤인시티
- ☐ 센소지
- ☐ 스미다 수족관
- ☐ 스미다가와 불꽃놀이
- ☐ 시부야 센타가이
- ☐ 시부야 스카이
- ☐ 시부야 스크램블 스퀘어
- ☐ 신주쿠 골든가이
- ☐ 신주쿠 교엔
- ☐ 신주쿠의 눈
- ☐ 아사쿠사 신사
- ☐ 아사히 맥주빌딩
- ☐ 아키하바라 라디오회관
- ☐ 에비스 가든 플레이스
- ☐ 에비스 맥주 기념관
- ☐ 오모테산도 힐즈
- ☐ 와다쿠라 분수 공원
- ☐ 요도바시카카메라 신주쿠 니시구치 본점
- ☐ 요요기 공원
- ☐ 우에노 공원
- ☐ 우에노 동물원
- ☐ 우에노 벚꽃 축제
- ☐ 조조지
- ☐ 캇파바시 도구 거리
- ☐ 캣 스트리트
- ☐ 커비 카페
- ☐ 키디랜드 하라주쿠점
- ☐ 타케시타 거리
- ☐ 포켓몬 센터 메가 도쿄
- ☐ 프리쿠라란도NOA

PREVIEW
CHECK LIST - 도쿄 전체

MUST DO ACTIVITIES LIST

- ☐ 닛코 도쇼구 신사 & 게곤폭포 일일 투어
- ☐ 다테야마 구로베 2일 버스 투어
- ☐ 도쿄 게이샤 체험
- ☐ 도쿄 닌자 테마 반나절 워킹 투어
- ☐ 도쿄 리오이스트 룸 스트레스 해소 체험
- ☐ 도쿄 벚꽃 명소 일일 투어
- ☐ 도쿄 비건 & 글루텐프리 푸드 투어
- ☐ 도쿄 사케 무제한 시음 체험
- ☐ 도쿄 스냅 촬영
- ☐ 도쿄 어메이징 시티투어 버스 일일 투어
- ☐ 도쿄 유리잔 꾸미기 원데이 클래스
- ☐ 도쿄 일본 전통 화과자 만들기 & 다도 체험
- ☐ 도쿄 지브리 애니메이션 박물관 일일투어
- ☐ 도쿄 헬리콥터 프라이빗 체험
- ☐ 메이드리밍 메이드 카페 체험
- ☐ 목욕탕 센토 체험
- ☐ 미타카 지브리 미술관 투어
- ☐ 샤미센 원데이 클래스
- ☐ 선술집 방문과 라면 시식이 포함된 현지인처럼 먹고 마시기 투어
- ☐ 스노우 몽키 투어
- ☐ 스즈메의 문단속 & 너의 이름은 성지순례 애니메이션 워킹 투어
- ☐ 슬램덩크 성지순례 일일투어
- ☐ 아라쿠라야마 아사마 공원 & 가와구치호 & 케이블카 일일 투어
- ☐ 아사쿠사 고카트 체험
- ☐ 아타미 일일 투어
- ☐ 애니메이션에 나온 도쿄 배경지 성지순례 도보여행
- ☐ 오이시 공원 & 오시노핫카이 & 고에도 가와고에 일일 투어
- ☐ 일본 전통 맏차 & 과자 만들기 체험
- ☐ 일일 스키/스노우 보드 투어
- ☐ 전통 유리 조각 공예 체험
- ☐ 후지산 & 오시노 핫카이 일일 버스투어
- ☐ 히타치 해변 공원 네모필라 일일 투어

MUST BUYING LIST

- ☐ 꼼데가르송 가디건
- ☐ 넘버 슈가 카라멜
- ☐ 니베아 립밤
- ☐ 닛신 돈베이 키츠네
- ☐ 닛신컵누들
- ☐ 도쿄 마그넷
- ☐ 도쿄바나나
- ☐ 동전파스
- ☐ 러쉬 입욕제
- ☐ 로이스 감자칩
- ☐ 로이스 초콜릿
- ☐ 르타오 치즈케이크
- ☐ 메구리즘
- ☐ 무인양품
- ☐ 비비안웨스트우드 손수건
- ☐ 비비안웨스트우드 스타킹
- ☐ 사케
- ☐ 산토리 위스키
- ☐ 샤론파스
- ☐ 셀린느 잡화
- ☐ 슈프림 의류
- ☐ 스투시 의류
- ☐ 시세이도 뷰러
- ☐ 오타이산
- ☐ 와사비
- ☐ 우마이봉
- ☐ 유니클로
- ☐ 이치란라멘
- ☐ 진통제 EVE
- ☐ 카베진
- ☐ 코로로 젤리
- ☐ 킨초카오링 모기팔찌
- ☐ 킷캣 초콜릿
- ☐ 피노 젤리 헤어팩
- ☐ 호로요이
- ☐ 호빵맨 모기패치
- ☐ 휴족시간

MUST EAT LIST

- ☐ 가츠동
- ☐ 규동
- ☐ 규카츠
- ☐ 데판야키
- ☐ 돈카츠
- ☐ 라멘
- ☐ 몬자야키
- ☐ 소바
- ☐ 수제버거
- ☐ 스시
- ☐ 스키야키
- ☐ 야키니쿠
- ☐ 야키소바
- ☐ 야키토리
- ☐ 오므라이스
- ☐ 오코노미야키
- ☐ 우동
- ☐ 이자카야
- ☐ 장어덮밥
- ☐ 츠케멘
- ☐ 쿠시카츠
- ☐ 텐동

* 어떻게 여행을 해야하는지 알려드려요.

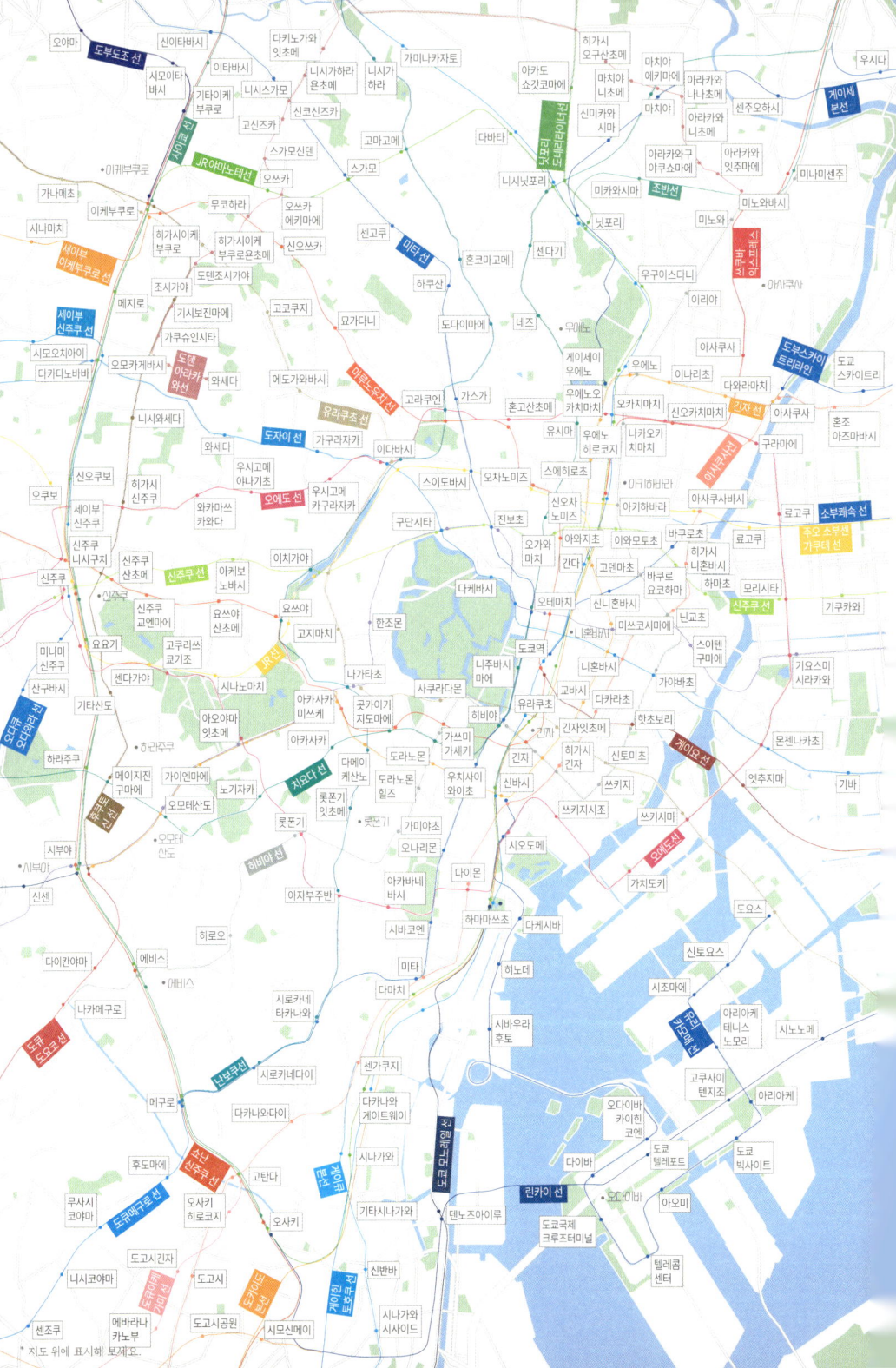

TRAVEL PLAN
SUMMARY - 도쿄 전체

TITLE

- DATE   /   /   ~   /   /
- CITY
- WITH
- VEHICLE

MUST GO PLACES

STAY

MUST EAT FOODS

MUST GO RESTAURANTS

MUST GO CAFE

MUST BUYING

MUST DO ACTIVITIES

MEMOS

*지도를 보면서 나만의 여행계획을 만들어 보세요.

TIME LINE
SCHEDULE - 도쿄 전체

DAY 1   /   /   ~   /   /

- 8:00 AM
- 9:00 AM
- 10:00 AM
- 11:00 AM
- 12:00 PM
- 13:00 PM
- 14:00 PM
- 15:00 PM
- 16:00 PM
- 17:00 PM
- 18:00 PM
- 19:00 PM
- 20:00 PM
- 21:00 PM
- 22:00 PM
- 23:00 PM

DAY 2   /   /   ~   /   /

- 8:00 AM
- 9:00 AM
- 10:00 AM
- 11:00 AM
- 12:00 PM
- 13:00 PM
- 14:00 PM
- 15:00 PM
- 16:00 PM
- 17:00 PM
- 18:00 PM
- 19:00 PM
- 20:00 PM
- 21:00 PM
- 22:00 PM
- 23:00 PM

* 시간별로 계획을 세워보세요.

TIME LINE
SCHEDULE - 도쿄 전체

DAY 3   /   /   ~   /   /

- 8:00 AM
- 9:00 AM
- 10:00 AM
- 11:00 AM
- 12:00 PM
- 3:00 PM
- 4:00 PM
- 5:00 PM
- 6:00 PM
- 7:00 PM
- 8:00 PM
- 9:00 PM
- 10:00 PM
- 11:00 PM
- 12:00 PM
- 1:00 PM

DAY 4   /   /   ~   /   /

- 8:00 AM
- 9:00 AM
- 10:00 AM
- 11:00 AM
- 12:00 PM
- 13:00 PM
- 14:00 PM
- 15:00 PM
- 16:00 PM
- 17:00 PM
- 18:00 PM
- 19:00 PM
- 20:00 PM
- 21:00 PM
- 22:00 PM
- 23:00 PM

* 시간별로 계획을 세워보세요.

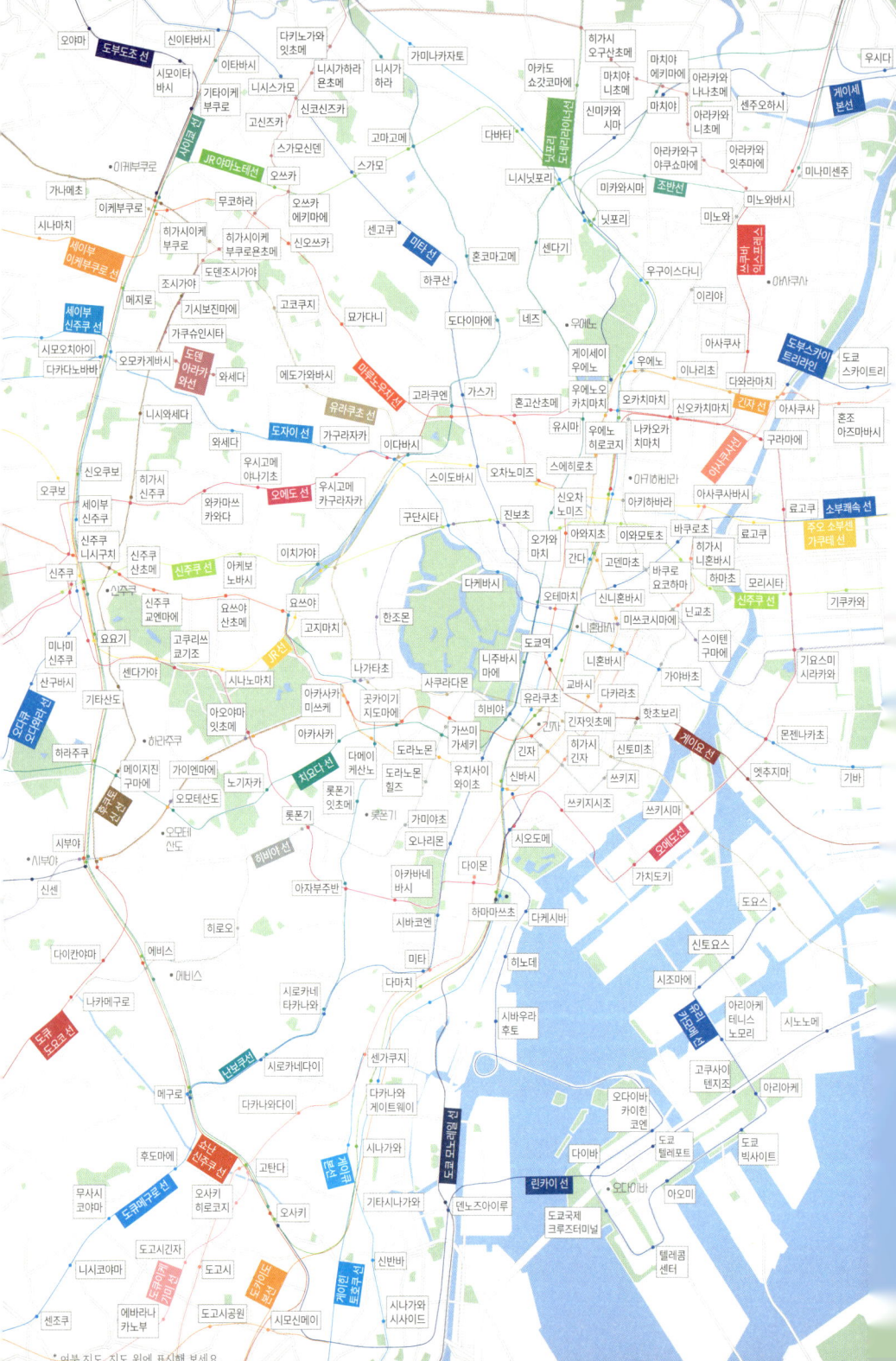

CHECK LIST - 신주쿠 주변

TO DO LIST

- ☐ 가구라자카 산책하기
- ☐ 가부키초에서 밤 즐기기
- ☐ 고질라 헤드 보기
- ☐ 골든가이 바 가보기
- ☐ 노무라 빌딩 49층 히비키에서 하이볼 먹으면 야경 보기
- ☐ 도쿄 도청 전망대 야경 보기
- ☐ 로봇레스토랑 '사무라이'에서 로봇도시락 맛보기
- ☐ 서던 테라스 산책하며 야경 보기
- ☐ 세카이도에서 미술용품 구매하기
- ☐ 신주쿠 교엔 산책하기
- ☐ 신주쿠의 눈 가보기
- ☐ 아케이드 게임센터에서 오락하기
- ☐ 오모이데요코초 술집 가보기
- ☐ 온천 즐기기
- ☐ 와세다 대학 무라카미 하루키 도서관 라이브러리 구경하기
- ☐ 요도바시카메라 가전제품 구경하기
- ☐ 요요기공원 벚꽃 보기
- ☐ 이세탄 백화점 쇼핑하기
- ☐ 진구가이엔 불꽃놀이 축제 구경하기
- ☐ 하나조노 신사에서 하나조노 찐빵 맛보기
- ☐ LOVE 오브제에서 사진찍기
- ☐ NEWoMan 쇼핑하기

LANDMARK LIST

- ☐ 가구라자카
- ☐ 가부키초
- ☐ 가쓰쿠라 신주쿠 다카시마야점
- ☐ 게이오 백화점 신주쿠점
- ☐ 고질라 헤드
- ☐ 규카츠 모토무라 신주쿠
- ☐ 너의 이름은 계단
- ☐ 노무라 빌딩 49층 히비키
- ☐ 뉴우먼 도쿄
- ☐ 다카시마야 타임스퀘어
- ☐ 데루마 온천
- ☐ 도쿄 도청
- ☐ 도쿄 도청 전망대
- ☐ 도쿄 록카센
- ☐ 도쿄 오페라 시티
- ☐ 도쿄 장난감 미술관
- ☐ 도쿄소방청 소방박물관
- ☐ 도호 시네마즈 신주쿠
- ☐ 로봇레스토랑 사무라이
- ☐ 루미네 the 요시모토 극장
- ☐ 비샤몬텐 젠코쿠지
- ☐ 사나기 신주쿠
- ☐ 사라베스 루미네 신주쿠점
- ☐ 세카이도
- ☐ 소테츠 프레사 인 히가 시 신주쿠 에키마에
- ☐ 신오오쿠보 코리안 타운
- ☐ 신주쿠 골든가이
- ☐ 신주쿠 교엔
- ☐ 신주쿠 교엔 대온실
- ☐ 신주쿠 뉴우먼
- ☐ 신주쿠 다카시마야
- ☐ 신주쿠 러브 조형물
- ☐ 신주쿠 모아
- ☐ 신주쿠 미로드 모자이크 거리
- ☐ 신주쿠 서던 테라스
- ☐ 신주쿠 서쪽 출구 카메라 거리
- ☐ 신주쿠 센터 빌딩
- ☐ 신주쿠 역사박물관
- ☐ 신주쿠 이치란라멘
- ☐ 신주쿠 중앙공원
- ☐ 신주쿠 츠나하치 총본점
- ☐ 신주쿠 프린스 호텔
- ☐ 신주쿠의 눈
- ☐ 신주쿠의 삼색고양이
- ☐ 야키아고 시오라멘 타카하시
- ☐ 오다큐 백화점 신주쿠점
- ☐ 오모이데요코초
- ☐ 와세다 대학 무라카미 하루키 도서관
- ☐ 요도바시카메라 신주쿠 니시구치 본점
- ☐ 이세탄 백화점 신주쿠점
- ☐ 톨리스커피
- ☐ 포레포레 히가시나카노 영화관
- ☐ 하나조노 신사
- ☐ 하비센터 가토 도쿄
- ☐ BEAMS JAPAN
- ☐ SHUKNOVA

PREVIEW
CHECK LIST - 신주쿠 주변

MUST BUYING LIST

- ☐ 꼼데가르송 가디건
- ☐ 닛신 돈베이 키츠네
- ☐ 닛신컵누들
- ☐ 동전파스
- ☐ 러쉬 입욕제
- ☐ 마카마운틴
- ☐ 메구리즘
- ☐ 미우미우 잡화
- ☐ 바오바오 가방
- ☐ 비비안웨스트우드 손수건
- ☐ 산토리 위스키
- ☐ 샤론파스
- ☐ 셀린느 잡화
- ☐ 알포토
- ☐ 오타이산
- ☐ 와사비
- ☐ 요시다포터 가방
- ☐ 이치란라멘
- ☐ 일본카레
- ☐ 진통제 EVE
- ☐ 카베진
- ☐ 킨초카오링 모기팔찌
- ☐ 킷캣 초콜릿
- ☐ 타마고간장
- ☐ 파브론 골드
- ☐ 퍼펙트휩
- ☐ 페어아크네
- ☐ 프라다 신발
- ☐ 헌터 레인부츠
- ☐ 호빵맨 모기패치
- ☐ 휴족시간
- ☐ Lycee 로토 리세 안약

MUST DO ACTIVITIES LIST

- ☐ 골든가이 호핑투어
- ☐ 라멘 투어
- ☐ 스카프 염색 체험
- ☐ 신주쿠 도쿄 바 야간 호핑 투어
- ☐ 신주쿠 반나절 워킹투어
- ☐ 신주쿠 야간 푸드 투어
- ☐ 신주쿠 테마리 스시 쿠킹 클래스
- ☐ 인력거 관광 체험
- ☐ 진구가이엔 불꽃놀이 축제

MUST EAT LIST

- ☐ 규동
- ☐ 규카츠
- ☐ 돈카츠
- ☐ 라멘
- ☐ 로봇도시락
- ☐ 스키야키
- ☐ 야키니쿠
- ☐ 야키토리
- ☐ 오므라이스
- ☐ 우동
- ☐ 이자카야
- ☐ 장어덮밥
- ☐ 츠케멘
- ☐ 코코이찌방야
- ☐ 쿠시카츠
- ☐ 텐동
- ☐ 프렌치토스트
- ☐ 하나조노 찐빵

* 어떻게 여행을 해야하는지 알려드려요.

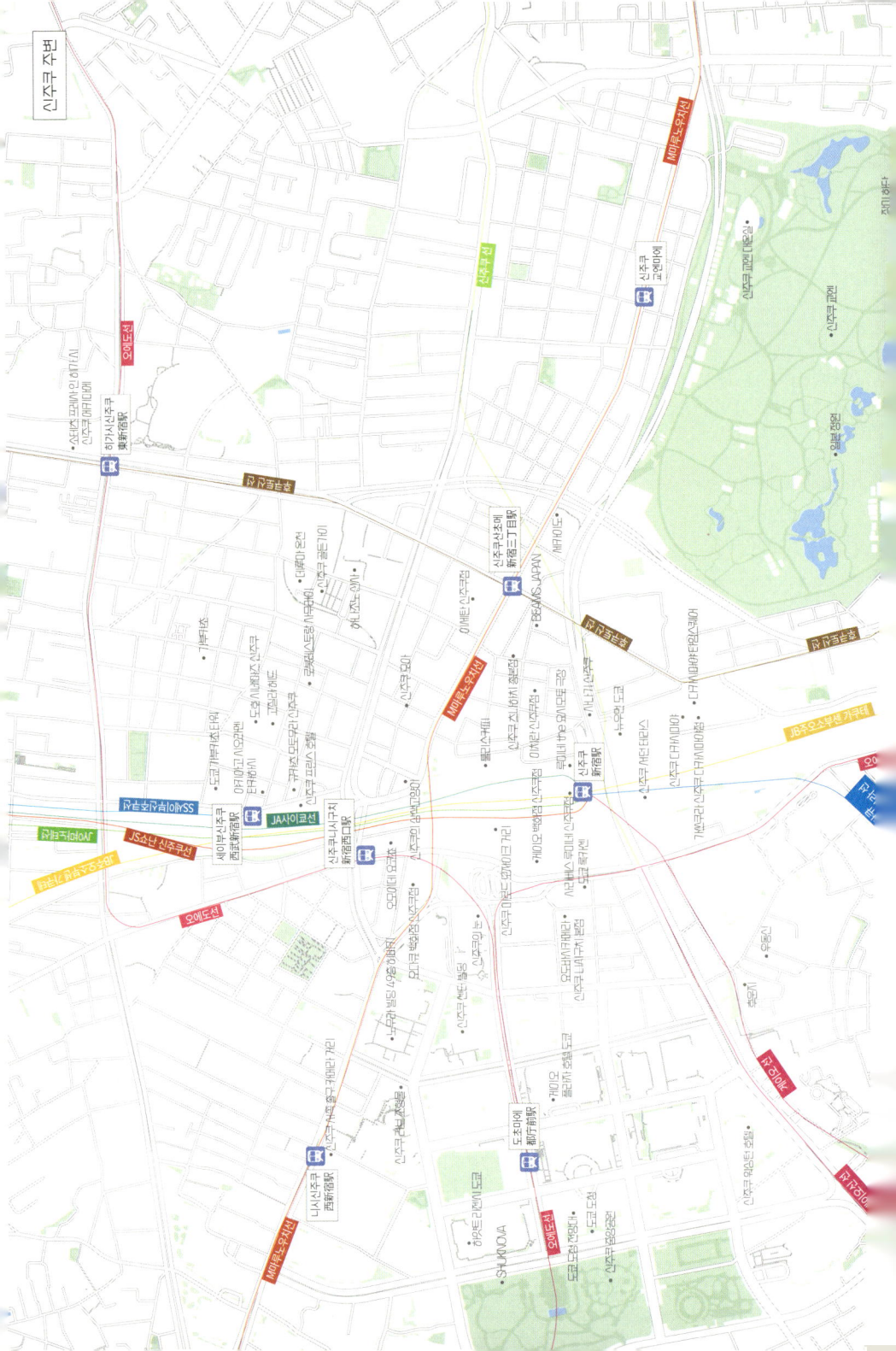

TRAVEL PLAN
SUMMARY - 신주쿠 주변

TITLE

- ■ DATE   /   /   ~   /   /
- ■ TOWN
- ■ WITH
- ■ VEHICLE

MUST GO PLACES

- ■
- ■
- ■
- ■
- ■
- ■
- ■
- ■
- ■
- ■
- ■
- ■
- ■
- ■
- ■
- ■
- ■
- ■
- ■
- ■

STAY

MUST EAT FOODS

MUST GO RESTAURANTS

MUST GO CAFE

MUST BUYING

MUST DO ACTIVITIES

MEMOS

* 지도를 보면서 나만의 여행계획을 만들어 보세요.

TIME LINE
SCHEDULE - 신주쿠 주변

DAY 1   /   /   ~   /   /

- 8:00 AM
- 9:00 AM
- 10:00 AM
- 11:00 AM
- 12:00 PM
- 13:00 PM
- 14:00 PM
- 15:00 PM
- 16:00 PM
- 17:00 PM
- 18:00 PM
- 19:00 PM
- 20:00 PM
- 21:00 PM
- 22:00 PM
- 23:00 PM

DAY 2   /   /   ~   /   /

- 8:00 AM
- 9:00 AM
- 10:00 AM
- 11:00 AM
- 12:00 PM
- 13:00 PM
- 14:00 PM
- 15:00 PM
- 16:00 PM
- 17:00 PM
- 18:00 PM
- 19:00 PM
- 20:00 PM
- 21:00 PM
- 22:00 PM
- 23:00 PM

* 시간별로 계획을 세워보세요.

PREVIEW
CHECK LIST - 시부야 주변

TO DO LIST

- [ ] 구 아사쿠라케 주택 산책하기
- [ ] 나베조 시부야 센터가이점에서 무한리필 스키야키 맛보기
- [ ] 더 루프 시부야 스카이에서 편하게 앉아 도쿄 전망 관람하기
- [ ] 도큐 핸즈에서 생활용품 쇼핑하기
- [ ] 디즈니스토어에서 굿즈 구매하기
- [ ] 마메시바 카페에서 시바견과 교감하기
- [ ] 만다라케 시부야에서 중고 굿즈 저렴하게 쇼핑하기
- [ ] 메이드리밍 메이드 카페 가보기
- [ ] 메이지 신궁 산책하기
- [ ] 멘치라시에서 우동 맛보기
- [ ] 무기와라 스토어에서 원피스 굿즈 사기
- [ ] 미야시타 공원 핫플 가보기
- [ ] 빵토 에스프레소토에서 프렌치 토스트 맛보기
- [ ] 센타가이 번화가 구경하기
- [ ] 스시노미도리 시부야점에서 스시 맛보기
- [ ] 스타벅스 시부야에서 스크램블 스퀘어 횡단보도 구경하기
- [ ] 시모카타자와에서 빈티지샵 쇼핑하기
- [ ] 시부야 109 쇼핑하기
- [ ] 시부야 스카이 전망대 야경보기
- [ ] 에비스 맥주 기념관에서 맥주 시음하기
- [ ] 이치란 시부야점에서 돈코츠라멘 맛보기
- [ ] 캣 스트리트 걸어보기
- [ ] 쿠마짱 온센 샤브샤브먹기
- [ ] 파르코 백화점 쇼핑하기
- [ ] 하라주쿠노 후쿠로모리에서 올빼미와 교감하기
- [ ] 하치코 동상과 함께 사진 찍기
- [ ] CROSSING PHOTO 사진 찍기
- [ ] CROSSING VIEW에서 시부야 스크램블 교차점 보기
- [ ] Shiroichi에서 생아이스 맛보기
- [ ] TRUMP ICE에서 토핑 아이스크림 맛보기

LANDMARK LIST

- [ ] 구 아사쿠라케 주택
- [ ] 국립 요요기 경기장
- [ ] 규카츠 모토무라 시부야점
- [ ] 다이칸야마 츠타야 서점
- [ ] 다이칸야마 티사이트
- [ ] 다케시타 거리
- [ ] 더 그레이트 버거
- [ ] 도겐자카도리
- [ ] 도라에몽 미래의 문
- [ ] 도쿄 가이카야
- [ ] 디자인 페스타 갤러리
- [ ] 디즈니 스토어 시부야점
- [ ] 루크스 랍스터 오모테산도 캣 스트리트
- [ ] 마메시바 카페
- [ ] 메이드리밍 시부야점
- [ ] 메이지 신궁
- [ ] 멘치라시
- [ ] 모모 파라다이스
- [ ] 무기와라 스토어
- [ ] 미야시타 공원
- [ ] 빵토 에스프레소토
- [ ] 세이부 백화점 시부야 지점
- [ ] 스시노미도리 시부야점
- [ ] 스타벅스 미야시타 공원점
- [ ] 스타벅스 시부야 츠타야점
- [ ] 스페인 자카
- [ ] 시부야 109
- [ ] 시부야 구립 쇼토 미술관
- [ ] 시부야 논베이 요코초
- [ ] 시부야 도큐 REI 호텔
- [ ] 시부야 로프트
- [ ] 시부야 마크 시티
- [ ] 시부야 미야시타 공원
- [ ] 시부야 블루보틀
- [ ] 시부야 센타가이
- [ ] 시부야 스카이
- [ ] 시부야 스카이 전망대
- [ ] 시부야 스크램블 스퀘어
- [ ] 시부야 스트림
- [ ] 시부야 파르코
- [ ] 시부야 히카리에
- [ ] 시부야의 아키타견
- [ ] 에비스 가든 플레이스
- [ ] 에비스 맥주 기념관
- [ ] 오리엔탈 바자 도쿄
- [ ] 오타 기념 미술관
- [ ] 우오베이 시부야 도겐자카점
- [ ] 이치란 시부야점
- [ ] 츠키시마 몬자 쿠우야
- [ ] 캣 스트리트
- [ ] 콘노우하치만궁
- [ ] 쿠마짱온센
- [ ] 하라주쿠노 후쿠로노모리
- [ ] 하치코 동상
- [ ] 하쿠슈 데판야키
- [ ] 핸즈 시부야점
- [ ] d47 Museum
- [ ] Q FRONT
- [ ] Shiroichi
- [ ] TRUMP ICE
- [ ] CYBERSPACE SHIBUYA'

PREVIEW
CHECK LIST - 시부야 주변

MUST BUYING LIST

- [ ] 곤약젤리
- [ ] 닛신 돈베이 키츠네
- [ ] 닛신 컵누들
- [ ] 동전파스
- [ ] 러쉬 입욕제
- [ ] 메구리즘
- [ ] 산토리 위스키
- [ ] 샤론파스
- [ ] 손수건
- [ ] 시로이치 아이스크림
- [ ] 시부야 레몬롤
- [ ] 신신파스
- [ ] 알포트
- [ ] 오타이산
- [ ] 와라비모치
- [ ] 와사비
- [ ] 우산
- [ ] 이브(EVE)
- [ ] 이치란라멘
- [ ] 지육과자
- [ ] 진통제 EVE
- [ ] 초콧토 푸친 푸딩
- [ ] 카베진
- [ ] 캐릭터 모기패치
- [ ] 코로로 젤리
- [ ] 킨초카오링 모기팔찌
- [ ] 킷캣 초콜릿
- [ ] 폴앤조 화장품
- [ ] 하이츄
- [ ] 호빵맨 모기패치
- [ ] 휴족시간
- [ ] TRUMP ICE

MUST DO ACTIVITIES LIST

- [ ] 구보타 사케 바 사케 시음 체험
- [ ] 시부야 고슴도치 카페 체험
- [ ] 시부야 고카트 체험
- [ ] 시부야 레트로 푸드 투어
- [ ] 시부야 바 호핑투어
- [ ] 시부야 비건 라멘 투어
- [ ] 시부야 스트리트 라이드 버스
- [ ] 시부야 스트리트 푸드 투어
- [ ] 시부야 일본 전통 스시 & 소바 만들기 체험
- [ ] 시부야 채식 푸드 투어
- [ ] 시부야 현지 바 & 이자카야 야간 크롤링 투어

MUST EAT LIST

- [ ] 가츠동
- [ ] 규카츠
- [ ] 데판야키
- [ ] 라멘
- [ ] 모리나가 베이크 크리미 치즈
- [ ] 몬자야키
- [ ] 수제버거
- [ ] 스시
- [ ] 스키야키
- [ ] 시로이치 아이스크림
- [ ] 야키니쿠
- [ ] 야키소바
- [ ] 야키토리
- [ ] 오코노미야키
- [ ] 와라비모치
- [ ] 우동
- [ ] 이자카야
- [ ] 프렌치토스트
- [ ] 회전초밥

* 어떻게 여행을 해야하는지 알려드려요.

TRAVEL PLAN
SUMMARY - 시부야 주변

TITLE

- ■ DATE   /   /   ~   /   /
- ■ CITY
- ■ WITH
- ■ VEHICLE

MUST GO PLACES

- ■
- ■
- ■
- ■
- ■
- ■
- ■
- ■
- ■
- ■
- ■
- ■
- ■
- ■
- ■
- ■
- ■
- ■
- ■
- ■
- ■
- ■
- ■
- ■

STAY

MUST EAT FOODS

MUST GO RESTAURANTS

MUST GO CAFE

MUST BUYING

MUST DO ACTIVITIES

MEMOS

* 지도를 보면서 나만의 여행계획을 만들어 보세요.

TIME LINE

SCHEDULE - 시부야 주변

DAY 1　　/　　/　　~　　/　　/

- 8:00 AM
- 9:00 AM
- 10:00 AM
- 11:00 AM
- 12:00 PM
- 13:00 PM
- 14:00 PM
- 15:00 PM
- 16:00 PM
- 17:00 PM
- 18:00 PM
- 19:00 PM
- 20:00 PM
- 21:00 PM
- 22:00 PM
- 23:00 PM

DAY 2　　/　　/　　~　　/　　/

- 8:00 AM
- 9:00 AM
- 10:00 AM
- 11:00 AM
- 12:00 PM
- 13:00 PM
- 14:00 PM
- 15:00 PM
- 16:00 PM
- 17:00 PM
- 18:00 PM
- 19:00 PM
- 20:00 PM
- 21:00 PM
- 22:00 PM
- 23:00 PM

* 시간별로 계획을 세워보세요.

PREVIEW
CHECK LIST - 이케부쿠로 주변

LANDMARK LIST

- [ ] 도부 백화점 이케부쿠로점
- [ ] 도쿄 예술 극장
- [ ] 리쿠기엔
- [ ] 릿쿄 대학교
- [ ] 메지로 정원
- [ ] 무테키야
- [ ] 선샤인 60 전망대
- [ ] 선샤인 수족관
- [ ] 선샤인시티
- [ ] 세이부 이케부쿠로 본점
- [ ] 애니메이트 이케부쿠로본점
- [ ] 코니카 미놀타 플라네타리움 만텐
- [ ] 키시모신당
- [ ] 포켓몬 센터 메가 도쿄
- [ ] 히고호소카와 정원
- [ ] Hareza 이케부쿠로
- [ ] LABI1 Yamada Denki Ikebukuro

MUST BUYING LIST

- [ ] 닛신 돈베이 키츠네
- [ ] 동전파스
- [ ] 산리오 굿즈
- [ ] 산토리 위스키
- [ ] 오타이산
- [ ] 와사비
- [ ] 진통제 EVE
- [ ] 카베진
- [ ] 캐릭터 양말
- [ ] 캐릭터샵 굿즈
- [ ] 킨초카오링 모기팔찌
- [ ] 호빵맨 모기패치
- [ ] 휴족시간
- [ ] GU 신발

TO DO LIST

- [ ] 라신반 이케부쿠로에서 중고 굿즈 쇼핑하기
- [ ] 리쿠기엔 정원 산책하기
- [ ] 멘야 후루루에서 간장소바 맛보기
- [ ] 선샤인 60 전망대 야경보기
- [ ] 선샤인 수족관 구경하기
- [ ] 선샤인시티 가챠샵 구경하기
- [ ] 선샤인시티 쇼핑하기
- [ ] 애니메이트 이케부쿠로본점에서 굿즈 구경하기
- [ ] 키친ABC 니시이케부쿠로점에서 블랙카레 맛보기
- [ ] 포켓몬 센터 구경하기
- [ ] Kailaku에서 대왕교자 맛보기
- [ ] No.18 Hamburger에서 정통버거 맛보기

MUST DO ACTIVITIES LIST

- [ ] 도쿄 리이스트 룸 스트레스 해소 체험
- [ ] 이케부쿠로 미니피그 카페 체험
- [ ] 이케부쿠로 반나절 푸드 투어

MUST EAT LIST

- [ ] 규카츠
- [ ] 대왕교자
- [ ] 돈카츠
- [ ] 돈코츠라멘
- [ ] 무테키야
- [ ] 블랙카레
- [ ] 소바
- [ ] 수제버거
- [ ] 스테이크
- [ ] 야키니쿠
- [ ] 야키토리
- [ ] 오리엔탈 라이스
- [ ] 우동
- [ ] 이자카야
- [ ] 일본식 정식
- [ ] 중국가정요리
- [ ] 츠케멘
- [ ] 회전초밥

* 어떻게 여행을 해야하는지 알려드려요.

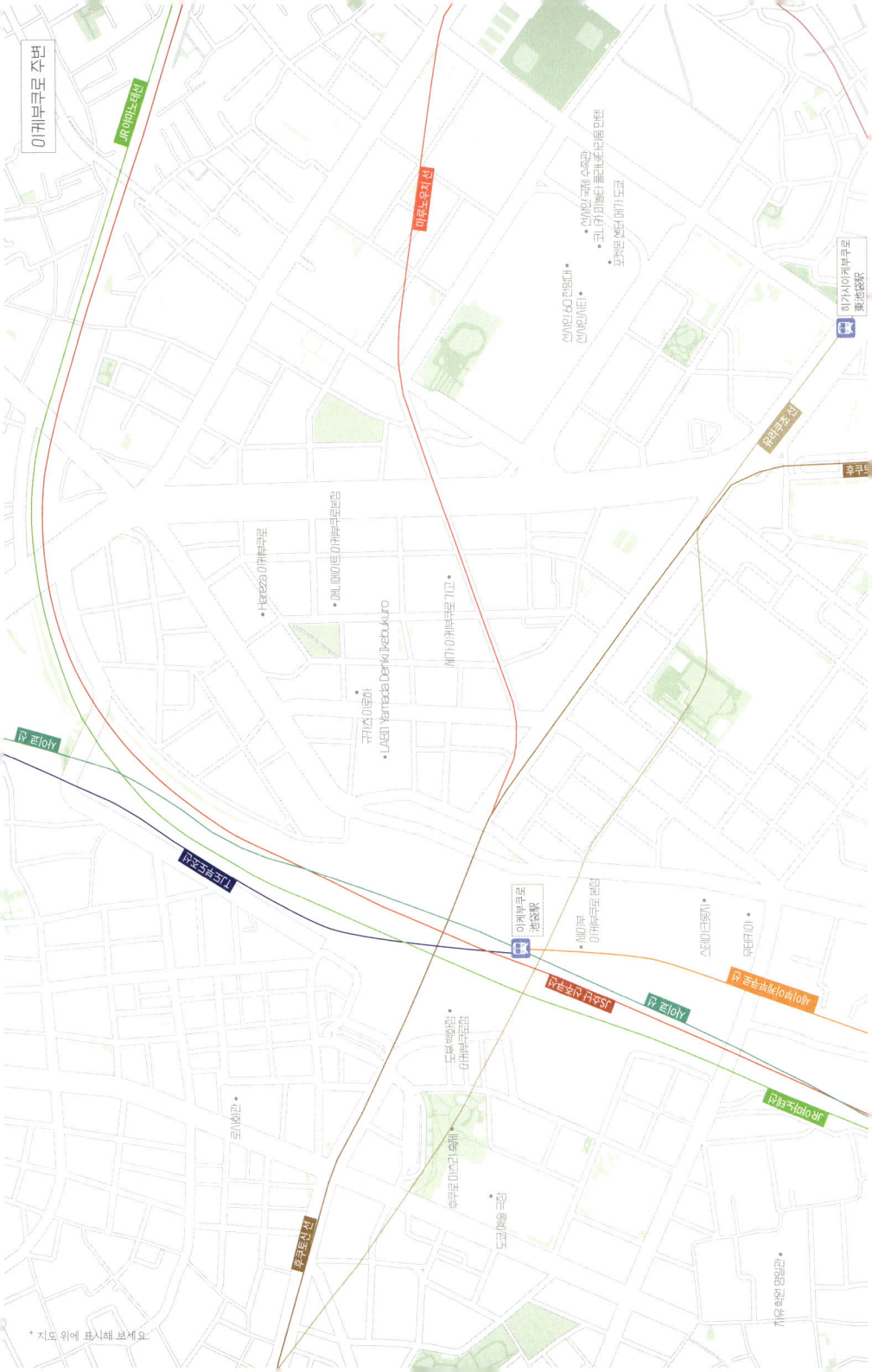

TRAVEL PLAN
SUMMARY - 이케부쿠로 주변

TITLE

DATE   /   /   ~   /   /
TOWN
WITH
VEHICLE

MUST GO PLACES

STAY

MUST EAT FOODS

MUST GO RESTAURANTS

MUST GO CAFE

MUST BUYING

MUST DO ACTIVITIES

MEMOS

* 지도를 보면서 나만의 여행계획을 만들어 보세요.

TIME LINE

SUMMARY - 이케부쿠로 주변

DAY 1   /   /   ~   /   /

- 8:00 AM
- 9:00 AM
- 10:00 AM
- 11:00 AM
- 12:00 PM
- 13:00 PM
- 14:00 PM
- 15:00 PM
- 16:00 PM
- 17:00 PM
- 18:00 PM
- 19:00 PM
- 20:00 PM
- 21:00 PM
- 22:00 PM
- 23:00 PM

DAY 2   /   /   ~   /   /

- 8:00 AM
- 9:00 AM
- 10:00 AM
- 11:00 AM
- 12:00 PM
- 13:00 PM
- 14:00 PM
- 15:00 PM
- 16:00 PM
- 17:00 PM
- 18:00 PM
- 19:00 PM
- 20:00 PM
- 21:00 PM
- 22:00 PM
- 23:00 PM

* 시간별로 계획을 세워보세요.

PREVIEW
CHECK LIST - 롯폰기 주변

LANDMARK LIST

- [ ] 21_21 디자인 사이트
- [ ] 모리 정원
- [ ] 토호 시네마 롯본기 힐즈
- [ ] 곤파치 니시아자부
- [ ] 모리 타워
- [ ] 하드 록 카페 도쿄 롯폰기
- [ ] 교파오 롯폰기
- [ ] 미카와다이 공원
- [ ] Downtown B's Indian Kitchen
- [ ] 도쿄 국립 신 미술관
- [ ] 산토리 미술관
- [ ] TV 아사히
- [ ] 도쿄 라틀리에 드 조엘 로부숑
- [ ] 시바공원
- [ ] 도쿄 미드타운
- [ ] 와라야키야 롯폰기
- [ ] 도쿄 시티뷰 &스카이덱
- [ ] 이마카츠 롯폰기 본점
- [ ] 도쿄타워
- [ ] 잇푸도 롯폰기점
- [ ] 롯폰기 힐스
- [ ] 조몬 롯폰기점
- [ ] 롯폰기 힐스 일루미네이션
- [ ] 조죠지
- [ ] 모리 미술관
- [ ] 코히엔

MUST BUYING LIST

- [ ] 꼼데가르송
- [ ] 용각산 사탕
- [ ] 닛신 돈베이 키츠네
- [ ] 이치란라멘
- [ ] 닛신컵누들
- [ ] 일본UCC드립커피백
- [ ] 동전파스
- [ ] 조니워커 그린라벨
- [ ] 러쉬 입욕제
- [ ] 진통제 EVE
- [ ] 메구리즘
- [ ] 초야 유즈
- [ ] 메이지 리치 초콜릿 샌드 말차 쿠키
- [ ] 카베진
- [ ] 메이지 말차 초콜릿
- [ ] 캐릭터 데일밴드
- [ ] 산토리 위스키
- [ ] 킷캣 초콜릿
- [ ] 산토리가쿠빈
- [ ] 킨초카오링 모기팔찌
- [ ] 샤론파스
- [ ] 호빵맨 모기패치
- [ ] 오타이산
- [ ] 휴족시간
- [ ] 와사비

TO DO LIST

- [ ] 21_21 디자인 사이트 구경하기
- [ ] 도쿄 국립 신 미술관 전시보기
- [ ] 도쿄 시티뷰 & 스카이덱에서 도쿄타워 야경보기
- [ ] 도쿄시티뷰에서 인생샷 찍기
- [ ] 롯폰기 힐스 일루미네이션 구경하기
- [ ] 롯폰기 힐스 전망대 올라가기
- [ ] 모리 타워 전망대 야경 보기
- [ ] 세상에서 가장 높은 곳에 있는 모리 미술관 가보기
- [ ] 시바공원에서 도쿄타워 배경으로 사진 찍기
- [ ] 아카뱌네바시역 앞 횡단보도에서 도쿄타워 인증샷 찍기
- [ ] 이마가츠 롯폰기점에서 돈카츠 맛보기
- [ ] 조죠지 사찰과 도쿄타워 같이 사진 찍기
- [ ] 코히엔에서 도리소바 맛보기
- [ ] 토후야우카이 주차장 계단에서 도쿄타워 배경으로 사진 남기기

MUST DO ACTIVITIES LIST

- [ ] 도쿄 국립 신 미술관 도슨트 투어
- [ ] 롯폰기 힐즈 모리타워 스카이 데크 이용하기
- [ ] 모리 미술관 도슨트 투어

MUST EAT LIST

- [ ] 도리소바
- [ ] 샤브샤브
- [ ] 야키니쿠
- [ ] 야키토리
- [ ] 이마카츠
- [ ] 장어덮밥
- [ ] 참치 타다키
- [ ] 츠케멘
- [ ] 카이센동

* 어떻게 여행을 해야하는지 알려드려요.

TRAVEL PLAN
SUMMARY - 롯폰기 주변

TITLE

- ■ DATE   /   /   ~   /   /
- ■ TOWN
- ■ WITH
- ■ VEHICLE

MUST GO PLACES

- ■
- ■
- ■
- ■
- ■
- ■
- ■
- ■
- ■
- ■
- ■
- ■
- ■
- ■
- ■
- ■
- ■
- ■
- ■
- ■
- ■
- ■

STAY

MUST EAT FOODS

MUST GO RESTAURANTS

MUST GO CAFE

MUST BUYING

MUST DO ACTIVITIES

MEMOS

* 지도를 보면서 나만의 여행계획을 만들어 보세요.

TIME LINE
SCHEDULE - 롯폰기 주변

DAY 1 / / ~ / /

8:00 AM
9:00 AM
10:00 AM
11:00 AM
12:00 PM
13:00 PM
14:00 PM
15:00 PM
16:00 PM
17:00 PM
18:00 PM
19:00 PM
20:00 PM
21:00 PM
22:00 PM
23:00 PM

DAY 2 / / ~ / /

8:00 AM
9:00 AM
10:00 AM
11:00 AM
12:00 PM
13:00 PM
14:00 PM
15:00 PM
16:00 PM
17:00 PM
18:00 PM
19:00 PM
20:00 PM
21:00 PM
22:00 PM
23:00 PM

* 시간별로 계획을 세워보세요.

PREVIEW
CHECK LIST - 하라주쿠&오모테산도 주변

LANDMARK LIST

- ☐ 네즈 미술관
- ☐ 와타리움 미술관
- ☐ 도큐플라자 오모테산도 하라주쿠
- ☐ 요로니쿠
- ☐ 돈카츠 마이센 아오야마 본점
- ☐ 우라산도 가든
- ☐ 라포레 하라주쿠
- ☐ 카페 키츠네
- ☐ 래그태그 하라주쿠점
- ☐ 키디랜드 하라주쿠점
- ☐ 레드락 하라주쿠점
- ☐ 키르훼봉 오모테산도점
- ☐ 루크스 랍스터 오모테산도 캣 스트리트
- ☐ 타케시타 거리
- ☐ 마이피그 카페
- ☐ 토고 신사
- ☐ 블루보틀커피 아오야마
- ☐ 프리쿠라란도NOA
- ☐ 빵토 에스프레소토
- ☐ 하라주쿠 교자로 오
- ☐ 소바키리 미요타
- ☐ 하라주쿠 사쿠라테이
- ☐ 신궁 외원 은행나무거리
- ☐ 하라주쿠역
- ☐ 오모테산도 시카다
- ☐ BRAND COLLECT 오모테산도 1호점
- ☐ 오모테산도 아르텍 Artek
- ☐ Curry Udon Senkichi Omotecando
- ☐ 오모테산도 힐즈
- ☐ Owl Village Cafe Harajuku
- ☐ 오타기념미술관
- ☐ WITH HARAJUKU
- ☐ 와라타코 하라주쿠오모테산도점

MUST EAT LIST

- ☐ 교자
- ☐ 이자카야
- ☐ 규카츠
- ☐ 카레
- ☐ 그릴드 치즈 샌드위치
- ☐ 크레페
- ☐ 돈카츠
- ☐ 타코야끼
- ☐ 딸기타르트
- ☐ 텐푸라
- ☐ 랍스터롤
- ☐ 파르페
- ☐ 소바
- ☐ 팬케이크
- ☐ 스시
- ☐ 프렌치토스트
- ☐ 야키니쿠
- ☐ 함박스테이크
- ☐ 오코노미야키
- ☐ 햄버거
- ☐ 와규덮밥
- ☐ 우동

MUST DO ACTIVITIES LIST

- ☐ 하라주쿠 & 오모테산도 푸드 투어
- ☐ 하라주쿠 닌자 체험
- ☐ 하라주쿠 마이크로 피그 카페 체험
- ☐ 하라주쿠 문화 예술 워킹투어
- ☐ 하라주쿠 반나절 워킹투어
- ☐ 하라주쿠 푸드 & 문화 프라이빗 반나절 투어
- ☐ 하라주쿠에서 일본 리얼고등학생 되어보기(교복 렌탈)

TO DO LIST

- ☐ 도큐플라자 오모테산도 하라주쿠 쇼핑하기
- ☐ 도큐플라자 하라주쿠 하라카도에서 쇼핑하기
- ☐ 래그태그 하라주쿠점에서 빈티지 쇼핑하기
- ☐ 미피그 카페 가보기
- ☐ 부엉이카페 가보기
- ☐ 빵토 에스프레소토에서 프렌치 토스트 맛보기
- ☐ 오모테산도 아르텍 Artek에서 가챠 뽑기
- ☐ 오모테산도 힐즈에서 쇼핑하기
- ☐ 키디랜드 쇼핑하기
- ☐ 타케시타 거리 걸어보기
- ☐ 하라주쿠&오모테산도 쇼핑하기

MUST BUYING LIST

- ☐ 꼼데가르송 의류
- ☐ 스투시 의류
- ☐ 넘버 슈가 카라멜
- ☐ 아디다스 신발
- ☐ 단톤 의류
- ☐ 오니츠카타이거 신발
- ☐ 도쿄 23(나이키 조던)
- ☐ 요시다포터 가방
- ☐ 랄프로렌 의류
- ☐ 폴로 랄프로렌 의류
- ☐ 러쉬 입욕제
- ☐ 화장품
- ☐ 비비안 웨스트우드
- ☐ atmos 신발
- ☐ 슈프림 의류
- ☐ on 러닝화

* 어떻게 여행을 해야하는지 알려드려요.

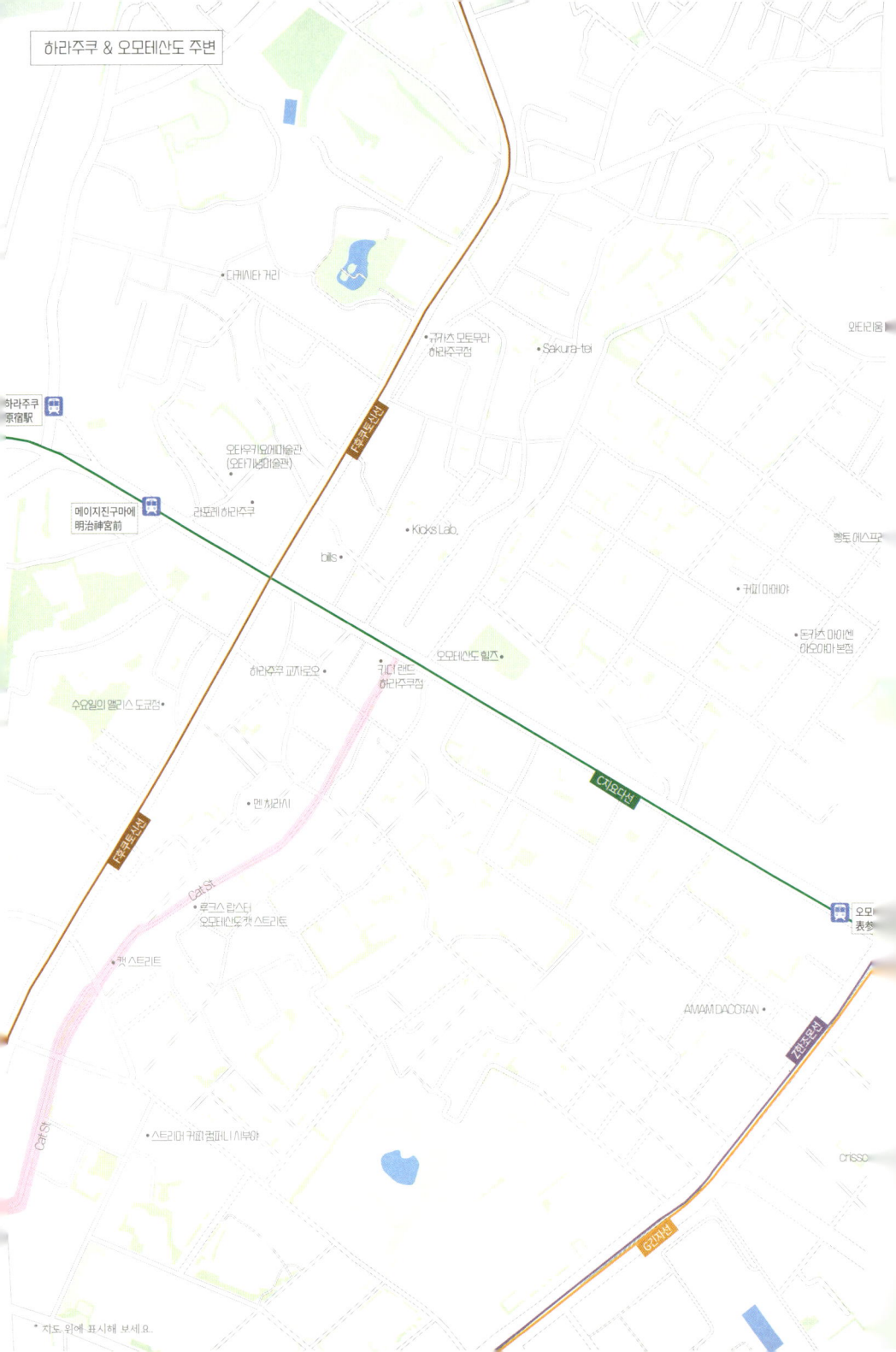

TRAVEL PLAN

CHECK LIST - 하라주쿠&오모테산도 주변

TITLE

- ■ DATE   /   /   ~   /   /
- ■ TOWN
- ■ WITH
- ■ VEHICLE

MUST GO PLACES

- ■
- ■
- ■
- ■
- ■
- ■
- ■
- ■
- ■
- ■
- ■
- ■
- ■
- ■
- ■
- ■
- ■
- ■
- ■
- ■
- ■

STAY

MUST EAT FOODS

MUST GO RESTAURANTS

MUST GO CAFE

MUST BUYING

MUST DO ACTIVITIES

MEMOS

* 지도를 보면서 나만의 여행계획을 만들어 보세요.

TIME LINE
CHECK LIST - 하라주쿠&오모테산도 주변

DAY 1   /   /   ~   /   /

- 8:00 AM
- 9:00 AM
- 10:00 AM
- 11:00 AM
- 12:00 PM
- 13:00 PM
- 14:00 PM
- 15:00 PM
- 16:00 PM
- 17:00 PM
- 18:00 PM
- 19:00 PM
- 20:00 PM
- 21:00 PM
- 22:00 PM
- 23:00 PM

DAY 2   /   /   ~   /   /

- 8:00 AM
- 9:00 AM
- 10:00 AM
- 11:00 AM
- 12:00 PM
- 13:00 PM
- 14:00 PM
- 15:00 PM
- 16:00 PM
- 17:00 PM
- 18:00 PM
- 19:00 PM
- 20:00 PM
- 21:00 PM
- 22:00 PM
- 23:00 PM

* 시간별로 계획을 세워보세요.

PREVIEW
CHECK LIST - 우에노 주변

LANDMARK LIST

- ☐ 갓파바시 도구 거리
- ☐ 구 이와사키 저택정원
- ☐ 국립 과학 박물관
- ☐ 국립 서양 미술관
- ☐ 네즈 신사
- ☐ 니쿠노 오오야마
- ☐ 도쿄 국립 과학 박물관
- ☐ 도쿄 국립 박물관
- ☐ 도쿄 국제 어린이 도서관
- ☐ 도쿄 예술대학 대학미술관
- ☐ 도쿄국립박물관 평성관
- ☐ 도쿄도 미술관
- ☐ 마쓰자카야 우에노 지점
- ☐ 스타벅스 우에노 공원점
- ☐ 시노바즈노이케
- ☐ 아메야요코초
- ☐ 야나카 긴자 상점가
- ☐ 야요이 미술관
- ☐ 우사기야
- ☐ 우에노 공원
- ☐ 우에노 대불
- ☐ 우에노 동물원
- ☐ 우에노 동조궁
- ☐ 우에노 벚꽃 축제
- ☐ 우에노 온시공원
- ☐ 유시마 텐만구
- ☐ 타케야 4 할인점
- ☐ 핫카엔
- ☐ Ueno Land ecute Ueno
- ☐ Up to you coffee

MUST BUYING LIST

- ☐ 닛신 돈베이 키츠네
- ☐ 닛신컵누들
- ☐ 동전파스
- ☐ 러쉬 입욕제
- ☐ 메구리즘
- ☐ 산리오 팬더 굿즈
- ☐ 산토리 위스키
- ☐ 샤론파스
- ☐ 오타이산
- ☐ 와사비
- ☐ 이치란라멘
- ☐ 주방용품
- ☐ 진통제 EVE
- ☐ 카베진
- ☐ 킨초카오링 모기팔찌
- ☐ 킷캣 초콜릿
- ☐ 타케노코노사토
- ☐ 판다 굿즈
- ☐ 호빵맨 모기패치
- ☐ 휴족시간

TO DO LIST

- ☐ 국립 서양 미술관 전시보기
- ☐ 니쿠노 오오야마에서 특제멘치 맛보기
- ☐ 다케야에서 쇼핑하기
- ☐ 아메야요코초 일본 재래시장 둘러보기
- ☐ 야나카 긴자 상점가 구경하기
- ☐ 우사기야에서 갓 구운 도라야끼 맛보기
- ☐ 우에노 공원에 앉아 벤토 먹으며 피크닉 즐기기
- ☐ 우에노 도시락거리에서 벤토 사먹기
- ☐ 우에노 동물원 히가시엔 산책하기
- ☐ 우에노 동물원에서 판다 도시락 맛보기
- ☐ 우에노 벚꽃 축제 구경하기
- ☐ 우에노랜드에서 가챠 뽑기
- ☐ 차노키미노엔에서 말차믹스 아이스크림 맛보기
- ☐ 캇파바시 도구 거리 주방용품 쇼핑하기
- ☐ 핫카엔에서 50년이상 역사의 후르츠꼬치 맛보기
- ☐ Up to you coffee에서 당근케이크, 라떼 맛보기

MUST DO ACTIVITIES LIST

- ☐ 도쿄 국립박물관 역사 도슨트 투어
- ☐ 도쿄 여행 작가가 소개하는 우에노 워킹투어
- ☐ 우에노 일본식 의상 체험 전통기모노, 야외 촬영
- ☐ 우에노 푸드 체험

MUST EAT LIST

- ☐ 교자
- ☐ 규카츠
- ☐ 당근 케이크
- ☐ 도라야끼
- ☐ 돈카츠
- ☐ 라멘
- ☐ 말차믹스 아이스크림
- ☐ 멘치카츠
- ☐ 벤토
- ☐ 스시
- ☐ 야키니쿠
- ☐ 야키토리
- ☐ 이자카야
- ☐ 일본가정식
- ☐ 장어덮밥
- ☐ 중화소바
- ☐ 츠케멘
- ☐ 카이센동
- ☐ 쿠시카츠
- ☐ 크로켓

* 어떻게 여행을 해야하는지 알려드려요.

TRAVEL PLAN
SUMMARY - 우에노 주변

TITLE

- DATE   /   /   ~   /   /
- TOWN
- WITH
- VEHICLE

MUST GO PLACES

STAY

MUST EAT FOODS

MUST GO RESTAURANTS

MUST GO CAFE

MUST BUYING

MUST DO ACTIVITIES

MEMOS

* 지도를 보면서 나만의 여행계획을 만들어 보세요.

TIME LINE

SCHEDULE - 우에노 주변

DAY 1   /   /   ~   /   /

- 8:00 AM
- 9:00 AM
- 10:00 AM
- 11:00 AM
- 12:00 PM
- 13:00 PM
- 14:00 PM
- 15:00 PM
- 16:00 PM
- 17:00 PM
- 18:00 PM
- 19:00 PM
- 20:00 PM
- 21:00 PM
- 22:00 PM
- 23:00 PM

DAY 2   /   /   ~   /   /

- 8:00 AM
- 9:00 AM
- 10:00 AM
- 11:00 AM
- 12:00 PM
- 13:00 PM
- 14:00 PM
- 15:00 PM
- 16:00 PM
- 17:00 PM
- 18:00 PM
- 19:00 PM
- 20:00 PM
- 21:00 PM
- 22:00 PM
- 23:00 PM

* 시간별로 계획을 세워보세요.

CHECK LIST - 아키하바라 주변

LANDMARK LIST

- ☐ 2k540 아키오카 아티산
- ☐ 간다 신사 (간다 묘진)
- ☐ 게이큐 EX 인 아키하바라
- ☐ 고이시카와 고라쿠엔
- ☐ 돈키호테 아키하바라점
- ☐ 라신반
- ☐ 마치 에큐트 칸다 만세바시
- ☐ 만다라케 컴플렉스
- ☐ 메이드리밍 아키하바라 3호점
- ☐ 메이드리밍 아키하바라 본점
- ☐ 빅 카메라 아키바
- ☐ 슈퍼 포테이토 아키하바라점
- ☐ 아키바 후쿠로우
- ☐ 아키하바라 가챠폰 회관
- ☐ 아키하바라 게이머즈 본점
- ☐ 아키하바라 라디오회관
- ☐ 아키하바라 전기 상점가
- ☐ 아트레 아키하바라1
- ☐ 애니메이트 아키하바라점
- ☐ 요도바시 카메라 멀티미디어 Akiba
- ☐ 챠바라 아키오카 마르쉐
- ☐ 추오도리

MUST EAT LIST

- ☐ 규카츠
- ☐ 라멘
- ☐ 생선 화로구이
- ☐ 소바
- ☐ 스시
- ☐ 야키니쿠
- ☐ 야키토리
- ☐ 오므라이스
- ☐ 오야코동
- ☐ 장어덮밥
- ☐ 츠케멘
- ☐ 타코야키

TO DO LIST

- ☐ 가챠샵에서 뽑기 하기
- ☐ 간다 묘진 구경하기
- ☐ 고이시카와 고라쿠엔 산책하기
- ☐ 라디오회관 구경하기
- ☐ 라신반에서 중고 피규어 저렴하게 구매하기
- ☐ 마치 에큐트 칸다 만세바시에서 고풍 분위기 느끼며 쇼핑하기
- ☐ 만다라케 컴플렉스에서 애니메이션 제품 구매하기
- ☐ 메이드리밍 카페 가보기
- ☐ 아키바 후쿠로우 올빼미 카페 가보기
- ☐ 아키하바라 중앙로 걸어보기
- ☐ 치치부덴키 빌딩 자판기에서 오뎅 캔 구매해보기

MUST DO ACTIVITIES LIST

- ☐ 메이드리밍 메이드 카페 체험
- ☐ 아키하바라 고카트 체험
- ☐ 아키하바라 애니메이션 & 게임 테마 워킹 투어
- ☐ 아키하바라 오타쿠 문화 체험

MUST BUYING LIST

- ☐ 닛신 돈베이 키츠네
- ☐ 닛신 컵누들
- ☐ 동전파스
- ☐ 러쉬 입욕제
- ☐ 메구리즘
- ☐ 산토리 위스키 가쿠빈
- ☐ 샤론파스
- ☐ 애니메이션 굿즈
- ☐ 오타이산
- ☐ 와사비
- ☐ 이치란라멘
- ☐ 전자제품
- ☐ 진통제 EVE
- ☐ 카베진
- ☐ 킨초카오링 모기팔찌
- ☐ 킷캣 초콜릿
- ☐ 피규어
- ☐ 호빵맨 모기패치
- ☐ 휴족시간

* 어떻게 여행을 해야하는지 알려드려요.

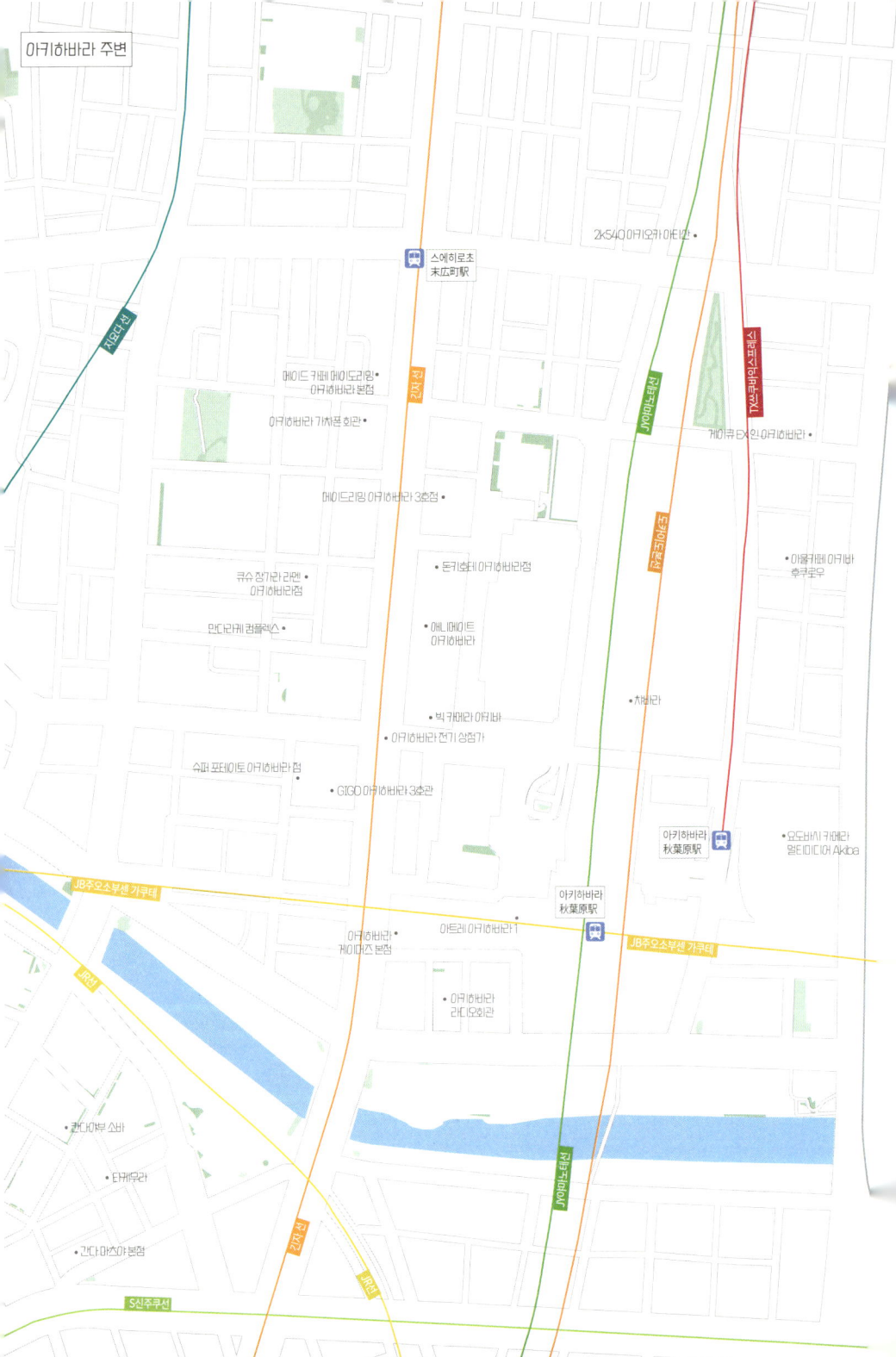

TRAVEL PLAN
SUMMARY - 아키하바라 주변

TITLE

DATE / / ~ / /
TOWN
WITH
VEHICLE

MUST GO PLACES

STAY

MUST EAT FOODS

MUST GO RESTAURANTS

MUST GO CAFE

MUST BUYING

MUST DO ACTIVITIES

MEMOS

* 지도를 보면서 나만의 여행계획을 만들어 보세요.

TIME LINE
SCHEDULE - 아키하바라 주변

DAY 1   /   /   ~   /   /

8:00 AM
9:00 AM
10:00 AM
11:00 AM
12:00 PM
13:00 PM
14:00 PM
15:00 PM
16:00 PM
17:00 PM
18:00 PM
19:00 PM
20:00 PM
21:00 PM
22:00 PM
23:00 PM

DAY 2   /   /   ~   /   /

8:00 AM
9:00 AM
10:00 AM
11:00 AM
12:00 PM
13:00 PM
14:00 PM
15:00 PM
16:00 PM
17:00 PM
18:00 PM
19:00 PM
20:00 PM
21:00 PM
22:00 PM
23:00 PM

* 시간별로 계획을 세워보세요.

CHECK LIST - 아사쿠사(센소지)

LANDMARK LIST

- [ ] 고마가타 도죠 아사쿠사 본점
- [ ] 스미다가와 강 불꽃놀이
- [ ] 조조지
- [ ] 기모노 포토 스튜디오
- [ ] 스즈키엔
- [ ] 카미나리몬 산사다
- [ ] 나미키야부소바
- [ ] 아리스가와노미야 기념 공원
- [ ] 카미야 바
- [ ] 나카미세도리
- [ ] 아사쿠사 도쿄 수상버스
- [ ] 캇파바시 주방도구거리
- [ ] 다이토 스테이션 아사쿠사점
- [ ] 아사쿠사 멘치카츠
- [ ] 텐동 텐야 아사쿠사점
- [ ] 다이토구립 스미다 공원
- [ ] 아사쿠사 몬쟈 카노야
- [ ] 하나야시키
- [ ] 마루고토 닛폰
- [ ] 아사쿠사 문화관광센터
- [ ] 후나와 나카미세 3호점
- [ ] 마츠야아사쿠사
- [ ] 아사쿠사 신사
- [ ] 후르츠 파라고토
- [ ] 센소지
- [ ] 아사쿠사 에키미세
- [ ] Asakusa ROX
- [ ] 센소지 가미나리몬
- [ ] 오와리야
- [ ] ice Tokyo
- [ ] 센소지 호조몬
- [ ] 요로이야 라멘
- [ ] NINJA Cafe & Bar

TO DO LIST

- [ ] 기모노 빌려 아사쿠사 신사에서 사진 찍기
- [ ] 나카미세도리 쇼핑하기
- [ ] 마츠야 아사쿠사에서 쇼핑하기
- [ ] 센소지에서 운세뽑기
- [ ] 스미다가와 강 불꽃놀이 구경하기
- [ ] 스즈키엔에서 말차젤라또 맛보기
- [ ] 아사쿠사 멘치카츠에서 멘치카츠 맛보기
- [ ] 아사쿠사 문화관광센터 전망대에서 파노라마 뷰 감상하기
- [ ] 아사쿠사 에키미세에 있는 일본 전통 생활용품 매장 구경하기
- [ ] 오와리야에서 점보 새우튀김이 올라간 튀김 메밀국수 맛보기
- [ ] 조조지에서 도쿄타워 배경으로 사진찍기
- [ ] 캇파바시 주방도구거리에서 주방용품 쇼핑하기
- [ ] 하나야시키에서 현존하는 가장 오래된 제트코스터 탑승해보기
- [ ] 후나와 나카미세 3호점에서 고구마양갱 소프트크림 맛보기
- [ ] 후르츠 파라고토에서 파르페 맛보기
- [ ] ice Tokyo에서 롤아이스 맛보기

MUST DO ACTIVITIES LIST

- [ ] 기모노 체험
- [ ] 아사쿠사 검투 & 사무라이 체험
- [ ] 아사쿠사 고카트 체험
- [ ] 아사쿠사 교자 & 라면 쿠킹 클래스
- [ ] 아사쿠사 닌자 체험
- [ ] 아사쿠사 도끼 던지기 & 물담배 바 체험
- [ ] 아사쿠사 문화 & 다도 체험 워킹 투어
- [ ] 아사쿠사 붕어빵 만들기 체험
- [ ] 아사쿠사 스모 연습 관람 투어
- [ ] 아사쿠사 스시 쿠킹클래스
- [ ] 아사쿠사 일본 전통 제지 만들기 체험
- [ ] 아사쿠사 푸드 투어
- [ ] 일본 전통 유리 공예품(에도 키리코) 만들기
- [ ] 인력거 탑승 체험

MUST BUYING LIST

- [ ] 동전파스
- [ ] 와사비
- [ ] 러쉬 입욕제
- [ ] 이치란면
- [ ] 메구리즘
- [ ] 주방용품
- [ ] 산토리 위스키
- [ ] 진통제 EVE
- [ ] 샤론파스
- [ ] 카베진
- [ ] 오타이산
- [ ] 킨초카오링 모기팔찌

MUST EAT LIST

- [ ] 딸기모찌
- [ ] 장어덮밥
- [ ] 튀김 메밀국수
- [ ] 라멘
- [ ] 스키야키
- [ ] 롤아이스
- [ ] 미꾸라지 음식
- [ ] 스시
- [ ] 말차젤라또
- [ ] 텐동
- [ ] 규카츠
- [ ] 고구마양갱
- [ ] 소바
- [ ] 말차 크레페
- [ ] 고구마양갱 소프트크림
- [ ] 명란떡
- [ ] 말차 아이스크림
- [ ] 파르페
- [ ] 야키니쿠
- [ ] 팬케이크
- [ ] 몬자야키
- [ ] 이자카야
- [ ] 모츠나베
- [ ] 멘치카츠
- [ ] 실크푸딩
- [ ] 멜론빵

* 어떻게 여행을 해야하는지 알려드려요.

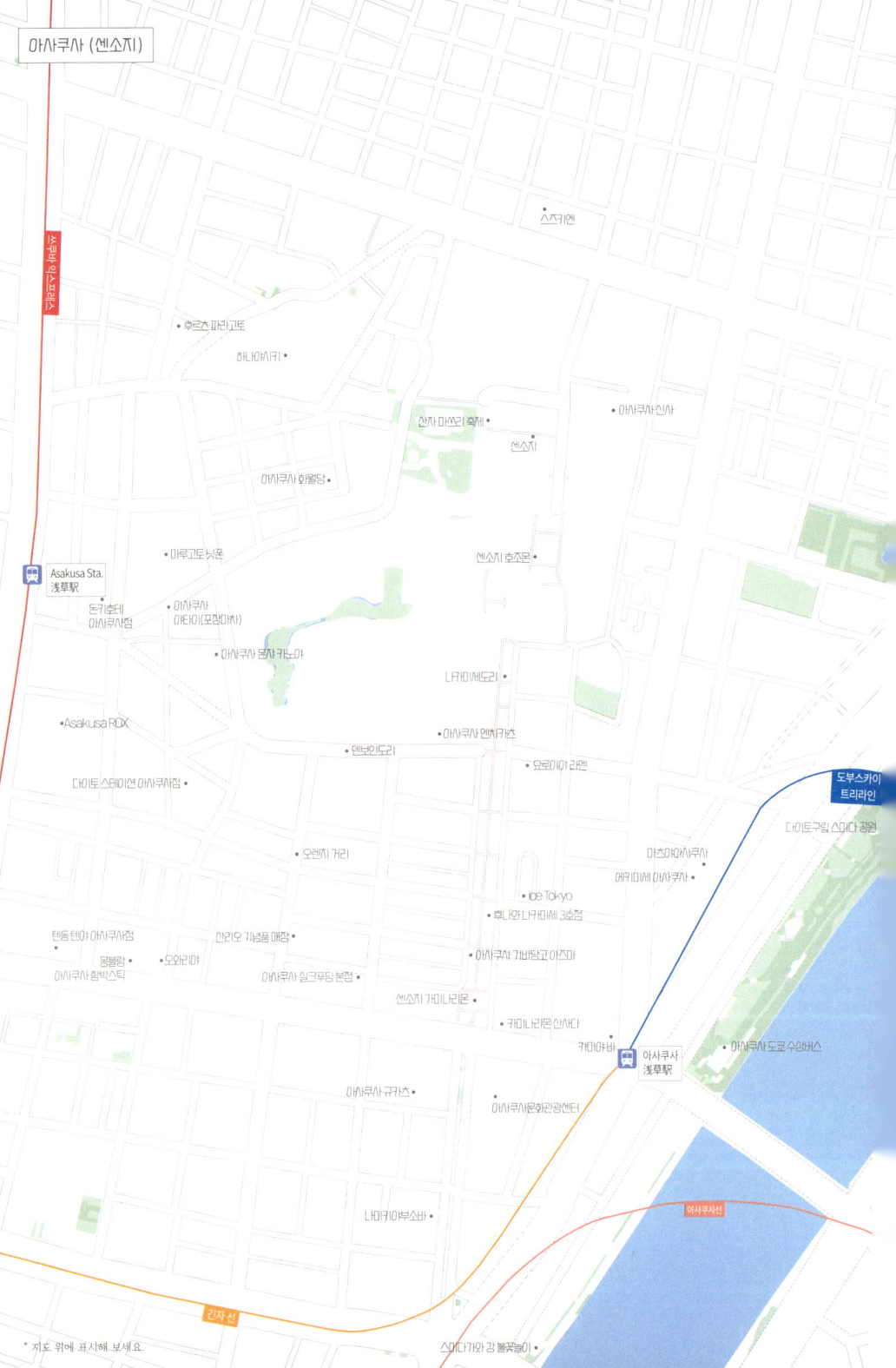

TRAVEL PLAN
SUMMARY - 아사쿠사(센소지)

TITLE

- DATE   /   /   ~   /   /
- TOWN
- WITH
- VEHICLE

MUST GO PLACES

-
-
-
-
-
-
-
-
-
-
-
-
-
-
-
-
-
-
-
-
-

STAY

MUST EAT FOODS

MUST GO RESTAURANTS

MUST GO CAFE

MUST BUYING

MUST DO ACTIVITIES

MEMOS

* 지도를 보면서 나만의 여행계획을 만들어 보세요.

TIME LINE
SCHEDULE - 아사쿠사(센소지)

DAY 1 / / ~ / /	DAY 2 / / ~ / /
8:00 AM	8:00 AM
9:00 AM	9:00 AM
10:00 AM	10:00 AM
11:00 AM	11:00 AM
12:00 PM	12:00 PM
13:00 PM	13:00 PM
14:00 PM	14:00 PM
15:00 PM	15:00 PM
16:00 PM	16:00 PM
17:00 PM	17:00 PM
18:00 PM	18:00 PM
19:00 PM	19:00 PM
20:00 PM	20:00 PM
21:00 PM	21:00 PM
22:00 PM	22:00 PM
23:00 PM	23:00 PM

* 시간별로 계획을 세워보세요.

PREVIEW
CHECK LIST - 도쿄역 주변

LANDMARK LIST

- ☐ 고쿄
- ☐ 도쿄 미드타운 히비야
- ☐ 신 마루노우치 빌딩
- ☐ 고쿄 가이엔
- ☐ 도쿄 일루미리아
- ☐ 아티존 미술관
- ☐ 고쿄 히가시 교엔
- ☐ 도쿄 캐릭터스트리트
- ☐ 앤디스 신 히노모토
- ☐ 교바시 에도그랑
- ☐ 도쿄역
- ☐ 야에스 지하상가
- ☐ 규카츠 모토무라 코레도 무로마치점
- ☐ 도쿄역 마루노우치 광장
- ☐ 와다쿠라 분수 공원
- ☐ 그란스타 마루노우치
- ☐ 도쿄역 일번가
- ☐ 코레도 니혼바시
- ☐ 네무로 하나마루 킷테점
- ☐ 마루노우치 나카거리
- ☐ 킷테 마루노우치
- ☐ 닌자 도쿄
- ☐ 마루노우치 브릭 스퀘어
- ☐ 티스탄탄 도쿄역
- ☐ 다이마루 백화점 도쿄지점
- ☐ 마루노우치 오아조
- ☐ Ginza Okinawan Washita Shop
- ☐ 도쿄 교통 회관
- ☐ 마루노우치 일루미네이션
- ☐ JP타워
- ☐ 도쿄 라멘 스트리트
- ☐ 마루젠 마루노우치 본점

MUST BUYING LIST

- ☐ 동전파스
- ☐ 러쉬 입욕제
- ☐ 메구리즘
- ☐ 산토리 위스키
- ☐ 샤론파스
- ☐ 오타이산
- ☐ 와사비
- ☐ 이치란라멘
- ☐ 지브리 굿즈
- ☐ 진통제 EVE
- ☐ 카베진
- ☐ 커비 카페 굿즈
- ☐ 킨초카오링 모기팔찌
- ☐ 포켓몬센터 굿즈

TO DO LIST

- ☐ 고쿄 가이엔 산책하기
- ☐ 고쿄 히가시 교엔 산책하기
- ☐ 킷테 도쿄 쇼핑하기
- ☐ 도쿄 라멘 스트리트에서 라멘 먹기
- ☐ 도쿄 일루미리아 일루미네이션 구경하기
- ☐ 도쿄 캐릭터스트리트 쇼핑하기
- ☐ 도쿄역 1번가 구루메거리에서 일본 인기식당 음식 맛보기
- ☐ 도쿄역 일번가 쇼핑하기
- ☐ 마루노우치 일루미네이션 구경하기
- ☐ 마루젠 마루노우치 서점 구경하기
- ☐ 와다쿠라 분수 공원 분수쇼 보기
- ☐ 킷테 마루노우치 야경 보기

MUST DO ACTIVITIES LIST

- ☐ 도쿄 반나절 투어
- ☐ 도쿄역 이치반가이 탐방하기
- ☐ 황궁 동어원 산책 및 역사 체험하기

MUST EAT LIST

- ☐ 규카츠
- ☐ 라멘
- ☐ 수제버거
- ☐ 야키니쿠
- ☐ 야키토리동
- ☐ 오코노미야키
- ☐ 사케
- ☐ 츠루동탄
- ☐ 츠케멘
- ☐ 카이센동

* 어떻게 여행을 해야하는지 알려드려요.

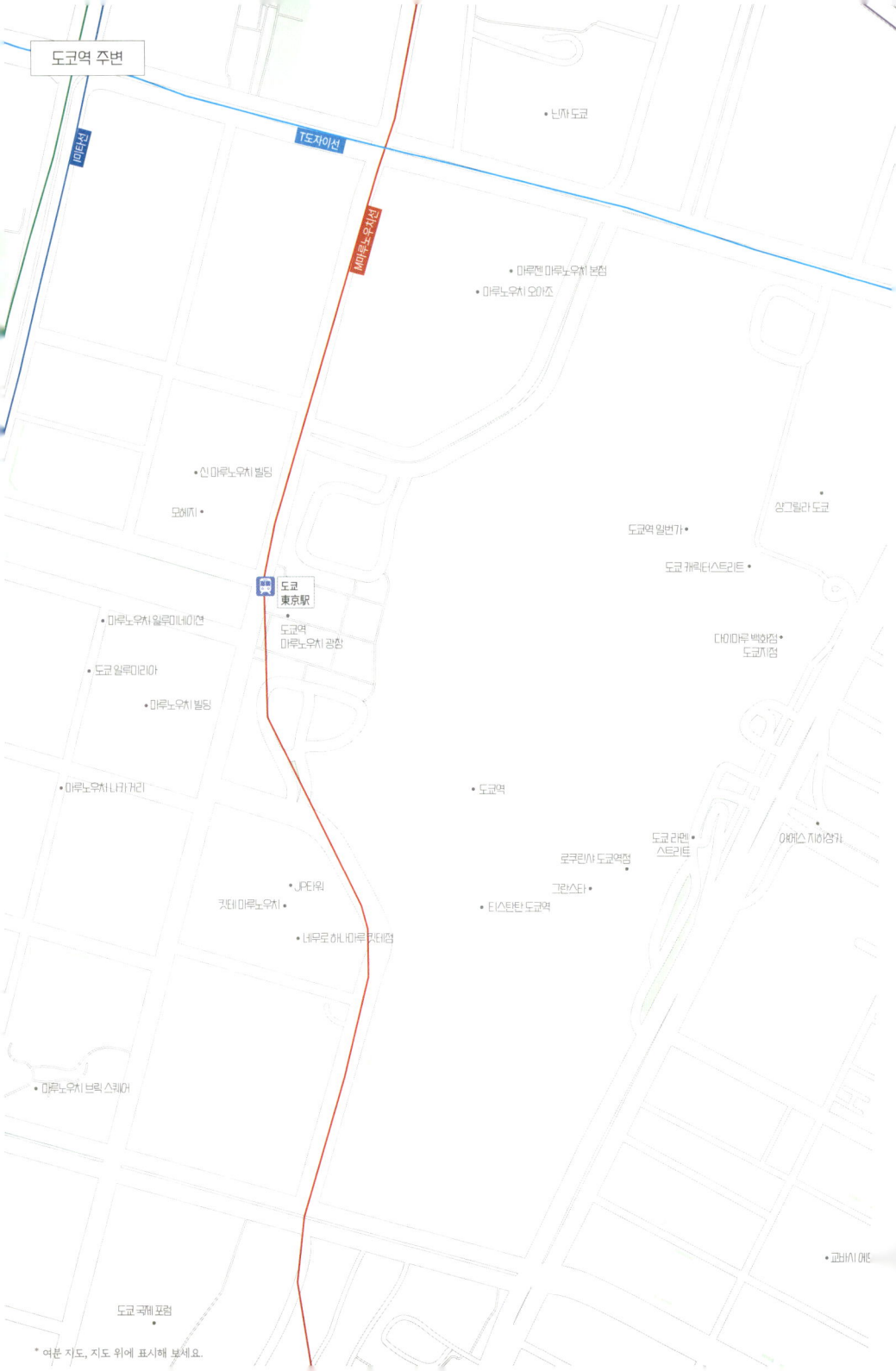

TRAVEL PLAN
SUMMARY - 도쿄역 주변

TITLE

- ■ DATE   /   /   ~   /   /
- ■ TOWN
- ■ WITH
- ■ VEHICLE

MUST GO PLACES

- ■
- ■
- ■
- ■
- ■
- ■
- ■
- ■
- ■
- ■
- ■
- ■
- ■
- ■
- ■
- ■
- ■
- ■
- ■
- ■
- ■
- ■
- ■

STAY

MUST EAT FOODS

MUST GO RESTAURANTS

MUST GO CAFE

MUST BUYING

MUST DO ACTIVITIES

MEMOS

* 지도를 보면서 나만의 여행계획을 만들어 보세요.

TIME LINE
SCHEDULE - 도쿄역 주변

DAY 1   /   /   ~   /   /

8:00 AM
9:00 AM
10:00 AM
11:00 AM
12:00 PM
13:00 PM
14:00 PM
15:00 PM
16:00 PM
17:00 PM
18:00 PM
19:00 PM
20:00 PM
21:00 PM
22:00 PM
23:00 PM

DAY 2   /   /   ~   /   /

8:00 AM
9:00 AM
10:00 AM
11:00 AM
12:00 PM
13:00 PM
14:00 PM
15:00 PM
16:00 PM
17:00 PM
18:00 PM
19:00 PM
20:00 PM
21:00 PM
22:00 PM
23:00 PM

* 시간별로 계획을 세워보세요.

PREVIEW
CHECK LIST - 도쿄디즈니랜드&디즈니씨 주변

LANDMARK LIST
- ☐ 니모&프렌즈 씨라이더
- ☐ 레이징 스피릿츠
- ☐ 몬스터 주식회사
- ☐ 미녀와 야수
- ☐ 버즈 라이트이어의 애스트로 블래스터
- ☐ 빅 썬더 마운틴
- ☐ 소어링
- ☐ 스타투어즈
- ☐ 스페이스 마운틴
- ☐ 스플래쉬 마운틴
- ☐ 신데렐라 성
- ☐ 인디아나존스 어드벤처
- ☐ 정글 크루즈
- ☐ 져니 투 더 센터 오브 디 어스
- ☐ 캐리비안의 해적
- ☐ 타워 오브 테러
- ☐ 터틀 토크
- ☐ 토이스토리 마니아!
- ☐ 푸의 허니헌트
- ☐ 해저 2만마일
- ☐ 헌티드맨션

MUST BUYING LIST
- ☐ 디즈니 캐릭터 문구류
- ☐ 디즈니 캐릭터 식기류
- ☐ 디즈니 캐릭터 열쇠고리
- ☐ 디즈니 캐릭터 의류
- ☐ 디즈니 캐릭터 인형
- ☐ 디즈니 캐릭터 잡화
- ☐ 디즈니 캐릭터 컵
- ☐ 디즈니 캐릭터 팝콘통
- ☐ 마블 상품
- ☐ 미니마우스 머리띠
- ☐ 스타워즈 상품
- ☐ 티키 텀블러
- ☐ 틴케이스 간식류
- ☐ Disney Villains(도쿄 디즈니씨 독점상품)

TO DO LIST
- ☐ 디즈니랜드에서 귀여운 디저트 먹어보기
- ☐ 디즈니랜드에서 팝콘 맛별로 먹어보기
- ☐ 디즈니씨 야경 보기
- ☐ 디즈니씨 여러 공연 보기
- ☐ 디즈니씨 지구본 배경 사진찍기
- ☐ 미키 동상 사진 찍기
- ☐ 불꽃놀이 구경하기
- ☐ 신데렐라 성 배경으로 사진 찍기
- ☐ 월드바자 캐노피 아래에서 산책 즐기기
- ☐ 웨스턴랜드 슈팅 갤러리에서 총 쏴보기
- ☐ 캐릭터와 사진 촬영하기
- ☐ 테마 레스토랑에서 식사 즐기기
- ☐ 퍼레이드 구경하기

MUST DO ACTIVITIES LIST
- ☐ 매직 오브 티키룸 야간 스펙터클 즐기기
- ☐ 빅 썬더 마운틴 롤러코스터 탑승하기
- ☐ 스플래시 마운틴 롤러코스터 탑승하기
- ☐ 캐리비안의 해적이나 정글 크루즈 탑승하기
- ☐ 크리터 컨트리 카누 여행 떠나기
- ☐ 폴리네시안 테라스 극장에서 공연 관람하기

MUST EAT LIST
- ☐ 글러브 에그치킨 파오
- ☐ 데리야키 닭다리
- ☐ 미키 와플
- ☐ 미키 햄버거
- ☐ 베이맥스 버거
- ☐ 스프링롤
- ☐ 알린모치
- ☐ 츄러스
- ☐ 치즈 함바그
- ☐ 치킨 미키우키와만
- ☐ 치킨&새우 백탕면
- ☐ 크리터 선데이
- ☐ 티뽀또르따
- ☐ 팝콘
- ☐ 포크 라이스 롤
- ☐ 헝그리 베어 카레

* 어떻게 여행을 해야하는지 알려드려요.

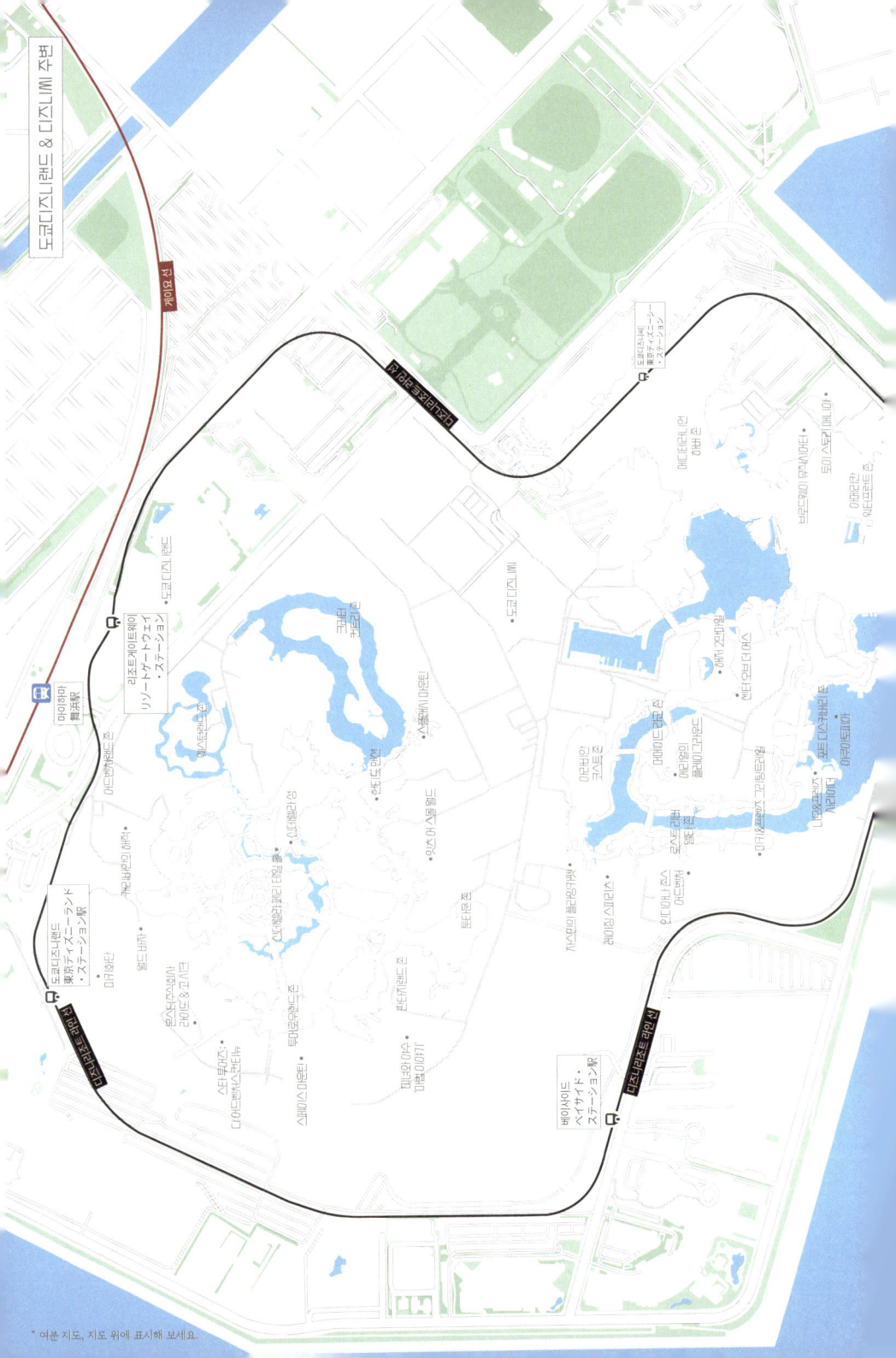

TRAVEL PLAN

SUMMARY - 도쿄디즈니랜드&디즈니씨 주변

TITLE

- ■ DATE   /   /   ~   /   /
- ■ TOWN
- ■ WITH
- ■ VEHICLE

MUST GO PLACES

STAY

MUST EAT FOODS

MUST GO RESTAURANTS

MUST GO CAFE

MUST BUYING

MUST DO ACTIVITIES

MEMOS

* 지도를 보면서 나만의 여행계획을 만들어 보세요.

TIME LINE

SCHEDULE - 도쿄디즈니랜드&디즈니씨 주변

DAY 1 / / ~ / /

8:00 AM
9:00 AM
10:00 AM
11:00 AM
12:00 PM
13:00 PM
14:00 PM
15:00 PM
16:00 PM
17:00 PM
18:00 PM
19:00 PM
20:00 PM
21:00 PM
22:00 PM
23:00 PM

DAY 2 / / ~ / /

8:00 AM
9:00 AM
10:00 AM
11:00 AM
12:00 PM
13:00 PM
14:00 PM
15:00 PM
16:00 PM
17:00 PM
18:00 PM
19:00 PM
20:00 PM
21:00 PM
22:00 PM
23:00 PM

* 시간별로 계획을 세워보세요.